Michael Morpurgo

Kaspar
le chat du Grand Hôtel

Illustrations de Michael Foreman

Traduit de l'anglais
par Diane Ménard

GALLIMARD JEUNESSE

Titre original : *Kaspar, Prince of Cats*
Édition originale publiée par Harper Collins Children's Books, Londres, 2008
© Michael Morpurgo, 2008, pour le texte
© Michael Foreman, 2008, pour les illustrations
© Éditions Gallimard Jeunesse, 2008, pour la traduction
© Éditions Gallimard Jeunesse, 2014, pour la présente édition

*À toutes celles et tous ceux qui se sont occupés de nous
avec tant de bienveillance et de gentillesse
pendant notre séjour au Savoy.*

MM.

*À mon frère Pud,
pêcheur et enfant de la mer du Nord.*

MF.

L'arrivée de Kaspar

Le prince Kaspar Kandinsky fit sa première apparition à l'hôtel *Savoy* dans un panier. Je le sais, parce que c'est moi qui l'ai porté à l'intérieur. J'ai porté tous les bagages de la comtesse, ce matin-là, et je peux vous dire qu'il y en avait une quantité effroyable.

Mais j'étais groom, c'était donc mon travail : porter les bagages, ouvrir la porte, dire bonjour à tous les clients que je rencontrais, répondre à chacun de leurs désirs, comme cirer leurs chaussures, ou leur apporter les télégrammes. Quoi que je fasse, je devais sourire très poliment, et d'une façon plus respectueuse qu'amicale. Il fallait également que je me souvienne

9

de leurs noms, et de leurs titres aussi, ce qui n'était pas facile, vu qu'il y avait sans cesse de nouveaux clients. Cependant, le plus important en tant que groom – métier qui, soit dit en passant, occupait l'échelon le plus bas de l'hôtel – était de faire tout ce que les clients me demandaient, et sans attendre. En somme, il me fallait obéir pratiquement à tout le monde au doigt et à l'œil. J'entendais sans arrêt : « Et que ça saute, Johnny ! » ou : « Grouille-toi, mon garçon ! », Fais ceci « dare-dare », Fais cela « en moins de deux ». Ils claquaient des doigts et je rappliquais dare-dare, je vous assure, surtout si Mme Blaise, la gouvernante générale, rôdait dans le coin.

On l'entendait toujours arriver, car on aurait dit que ses os s'entrechoquaient, produisant un bruit de squelette ambulant. En fait, c'était à cause de l'énorme trousseau de clefs qui cliquetait, pendu à sa taille. Quand elle était en colère, ce qui lui arrivait souvent, sa voix était aussi forte que celle d'un trombone. Nous vivions continuellement dans la crainte qu'elle nous inspirait. Mme Blaise voulait qu'on l'appelle « Madame », mais dans le couloir de service, sous les combles de l'hôtel où nous étions tous logés – grooms, femmes de chambre, personnel de cuisine –, nous l'avions surnommée Face de Momie. En effet, non seulement elle cliquetait comme un squelette, mais elle en avait aussi l'aspect. Nous faisions tout ce que nous pouvions pour l'éviter.

Pour elle, le moindre relâchement, si infime

soit-il, était un crime épouvantable – ne pas se tenir droit, avoir les cheveux en désordre ou les ongles sales. Bâiller pendant le service était le pire des crimes. Et c'était justement ce que Face de Momie m'avait surpris en train de faire, avant l'arrivée de la comtesse. Elle s'était dirigée vers moi dans le hall et, l'air menaçant, m'avait prévenu d'une voix sifflante :

– Je t'ai vu bâiller, petit vaurien. Et tu portes ta casquette sur le côté. Tu sais que je déteste ça. Arrange-la. Si tu bâilles encore, je te tords le cou.

Je remettais ma casquette en place quand je vis le portier, M. Freddie, qui faisait entrer la comtesse dans l'hôtel. Il m'appela d'un claquement de doigts, et voilà comment, quelques instants plus tard, je me retrouvai en train de traverser le hall de l'hôtel en compagnie de la comtesse, le panier du chat dans mes bras, et le chat miaulant si fort que tous les regards convergèrent aussitôt vers nous. Ce chat ne miaulait pas comme les autres, on aurait plutôt dit une lamentation plaintive que son tremblement mélodieux rendait presque humaine. La comtesse, que j'accompagnais pas à pas, se dirigea majestueusement vers le bureau de la réception, où elle se présenta avec un fort accent étranger – un accent russe, comme j'allais bientôt l'apprendre.

– Je suis la comtesse Kandinsky, annonça-t-elle. Vous avez une suite pour Kaspar et moi, je crois. La vue doit donner sur le fleuve, et il me faut un piano. Je vous ai envoyé un télégramme résumant toutes mes exigences.

La comtesse parlait en personne habituée à être écoutée, à être obéie. Il y avait tant de clients qui franchissaient la porte du *Savoy* : des gens riches, des gens célèbres pour de bonnes raisons – ou de mauvaises –, des magnats de l'industrie ou de la finance, des lords et des ladies, parfois même des premiers ministres et des présidents. Je dois dire que je ne faisais jamais très attention à leur morgue ni à leur arrogance. En revanche, j'avais appris très vite que si je cachais habilement mes sentiments derrière mon sourire, si je jouais bien mon rôle, certains d'entre eux pourraient me donner de très gros pourboires, surtout les Américains.

– Contente-toi de sourire et de remuer la queue.

Voilà ce que M. Freddie me conseillait de faire. Il travaillait au *Savoy* comme portier depuis près de vingt ans, il savait donc certaines choses. C'était un bon conseil. Quelle que fût la façon dont les clients me traitaient, j'avais appris à leur répondre par un sourire et à me conduire comme un chiot plein de bonne volonté. La première fois que je rencontrai la comtesse Kandinsky, je pensai qu'elle n'était qu'une riche aristocrate de plus. Mais quelque chose en elle, cependant, me frappa d'admiration dès le début. Elle ne marchait pas simplement vers l'ascenseur, elle voguait magnifiquement, ses jupes bruissant dans son sillage, les blanches plumes d'autruche de son chapeau flottant derrière elle comme des fanions dans la brise. Tout le monde – y compris Face de Momie, je suis heureux de le dire – faisait une petite révérence ou inclinait la tête à notre passage, tandis que je jouissais sans vergogne de l'aura de la comtesse, de sa grâce et de sa grandeur.

Je me sentais soudain sur le devant de la scène, et très important. En tant que groom de quatorze ans, abandonné à sa naissance sur les marches de l'orphelinat d'Islington, je n'avais pas eu si souvent l'occasion de me sentir important. Aussi, tandis que nous montions dans l'ascenseur, la comtesse, moi-même et le chat qui continuait à gémir dans son panier, je me sentais fier comme un coq. Je pense que cela dut se voir.

— Pourquoi est-ce que tu souris comme ça ? me demanda la comtesse en fronçant les sourcils, ses plumes d'autruche tremblant pendant qu'elle parlait.

Je pouvais difficilement lui dire la vérité, je dus donc inventer rapidement une réponse.

— À cause de votre chat, comtesse, répondis-je. Il fait un drôle de bruit.

— Ce n'est pas *mon* chat, dit-elle. Kaspar n'est le chat de personne. Il est le prince des chats. Il est le prince Kaspar Kandinsky, et un prince n'appartient à personne, pas même à une comtesse.

Elle me sourit alors.

— Je vais te dire quelque chose, poursuivit-elle, j'aime bien quand tu souris. Les Anglais ne le font pas aussi souvent qu'ils le devraient. Ils ne rient pas, ils ne pleurent pas. C'est une grande erreur. Nous les Russes, quand nous voulons rire, nous rions. Quand nous voulons pleurer, nous pleurons. Le prince Kaspar est un chat russe. En ce moment, il est très malheureux, alors il pleure. C'est naturel, je trouve.

— Pourquoi est-il si malheureux ? m'entendis-je demander.

— Parce qu'il est en colère contre moi. Il se sent bien chez moi à Moscou. Il n'aime pas voyager. J'ai beau lui dire : « Comment veux-tu que j'aille chanter à l'opéra de Londres, si nous ne voyageons pas ? », il ne m'écoute pas. Lorsque nous voyageons, il fait toujours des histoires, et beaucoup de tapage. Quand je le sortirai de son panier, il sera de nouveau content. Tu vas voir.

Ce qui est sûr, c'est que dès que Kaspar se fut hissé hors de son panier dans le salon de la comtesse, il s'arrêta de gémir et devint silencieux. Il tâta le tapis du bout de la patte, bondit lestement, et se mit aussitôt à explorer la pièce. Je compris alors pour la première fois pourquoi la comtesse l'appelait prince des chats. Des moustaches jusqu'aux pattes il était entièrement noir, d'un noir de jais, et son poil était lustré, brillant, magnifique. Il savait bien qu'il était beau. Il marchait avec des mouvements ondulants comme de la soie, la tête haute, sa queue fouettant l'air.

Je m'apprêtais à sortir de la pièce pour aller chercher le reste des bagages de la comtesse, lorsqu'elle me rappela, comme le font souvent les clients quand ils vont me donner un pourboire. À cause de son titre, de ses plumes d'autruche, et de toutes ses belles malles, j'avais toutes les raisons d'espérer un pourboire généreux. Il s'avéra cependant qu'elle n'avait pas l'intention de me donner quoi que ce soit.

– Comment t'appelles-tu ? Je veux connaître ton nom, me dit-elle en ôtant son chapeau d'un grand geste.

– Johnny Trott, comtesse, répondis-je.

Elle se mit alors à rire et je ne lui en voulus pas, car je compris aussitôt qu'elle ne se moquait pas de moi.

– C'est vraiment un drôle de nom, dit-elle. Mais qui sait ? Peut-être que pour toi Kandinsky aussi est un drôle de nom.

Pendant ce temps, Kaspar avait bondi sur le canapé. Il reprit aussitôt son élan et alla aiguiser ses griffes, d'abord sur le rideau, puis sur l'un des fauteuils. Ensuite, il décida de visiter les lieux, passa derrière le bureau, se glissa sous le piano, monta sur le rebord de la fenêtre, inspectant tout comme un prince qui s'approprie son nouveau palais. Enfin, il alla s'installer dans un fauteuil près de la cheminée, d'où il nous regarda tous les deux, clignant lentement des yeux, se léchant et ronronnant d'un air satisfait. Le prince appréciait manifestement son palais.

– C'est un chat très élégant, dis-je.

– Élégant ? Élégant ? Kaspar n'est pas élégant, Johnny Trott.

La comtesse ne semblait pas contente du tout de ma description de son chat.

– Il est beau – le plus beau chat de toute la Russie, de toute l'Angleterre, et du monde entier. Aucun chat ne ressemble au prince Kaspar. Il n'est pas élégant, il est magnifique. Compris, Johnny Trott ?

Je me hâtai d'acquiescer d'un signe de tête. Je pouvais difficilement discuter.

– Tu veux le caresser ? me demanda-t-elle.

Je m'accroupis à côté du fauteuil, tendis timidement la main vers lui, et caressai sa poitrine ron-

ronnante du revers du doigt, mais juste pendant une seconde ou deux. Je sentais que pour le moment, c'était tout ce que je pouvais me permettre.

– À mon avis, il t'aime bien, dit la comtesse. Avec le prince Kaspar, si tu n'es pas un ami, tu es un ennemi. Il ne t'a pas griffé, je pense donc que tu dois être un ami pour lui.

En me relevant, je remarquai qu'elle me fixait d'un œil inquisiteur.

– Je me demande si tu es un bon garçon, Johnny Trott. Est-ce que je peux te faire confiance ?

– Je crois que oui, comtesse, répondis-je.

– Ce n'est pas suffisant. Il faut que j'en sois sûre.

– Oui, vous pouvez me faire confiance.

– Alors, j'ai une tâche importante à te confier. Durant tout le temps où je resterai à Londres, tu veilleras sur Kaspar pour moi. Demain matin, je commence mes répétitions de *La Flûte enchantée* de Mozart à l'opéra de Covent Garden. Je suis la Reine de la Nuit. Est-ce que tu connais cette musique ?

Je hochai négativement la tête.

– Un jour, tu l'entendras. Un jour, peut-être que je la chanterai pour toi en jouant du piano, pendant que je répète. Chaque matin, après le petit déjeuner, je dois m'exercer. Le prince Kaspar est heureux quand je chante. Chez moi, à Moscou, il aime s'allonger sur mon piano pour m'écouter, et il remue la queue, comme en ce moment. Regarde-le. C'est comme ça que je sais qu'il est content. Mais quand je répète à l'extérieur, je dois être sûre que tu t'en occupes bien, qu'il est heureux. Tu feras ça pour moi ? Tu lui donneras à manger ? Tu lui parleras ? Tu l'emmèneras se promener dehors, une fois le matin, et une fois le soir ? Il aime beaucoup sortir. Tu n'oublieras pas ?

Il n'était pas facile de dire non à la comtesse Kandinsky. Et de toute façon, en vérité, j'étais flatté par sa proposition. Je me demandais cependant comment j'arriverais à coincer ça entre toutes mes autres tâches, dans le hall. Par ailleurs, j'espérais aussi que cela me vaudrait un bon pourboire, même si, bien entendu, je n'osais pas aborder le sujet.

La comtesse me sourit et me tendit sa main gantée. J'hésitai. Je n'avais jamais serré la main d'un client auparavant. Les grooms ne serraient tout simplement jamais la main des clients. Mais je compris qu'elle voulait que je le fasse, et je me décidai. Sa main était toute petite, le gant très doux.

– Le prince Kaspar, toi et moi, nous allons être de bons amis. Je le sais. Tu peux t'en aller, maintenant.

Je fis donc demi-tour pour sortir.

– Johnny Trott, dit-elle, en se remettant à rire. Je suis désolée, mais tu as vraiment un drôle de nom, peut-être le nom le plus drôle que j'aie jamais entendu. J'ai le sentiment que tu es un bon garçon, Johnny Trott. Tu sais pourquoi ? Tu ne demandes pas d'argent. Je te paierai cinq shillings par semaine pendant trois mois – je reste ici pendant trois mois pour

chanter à l'Opéra. Ah ! maintenant tu souris de nouveau, Johnny Trott. J'aime te voir sourire. Je crois
que si tu avais une queue, tu la remuerais comme le
prince Kaspar.

Lorsque je montai ses malles un peu plus tard et
que je les laissai dans l'entrée de sa suite, je l'entendis
chanter en s'accompagnant au piano dans le salon.
J'aperçus Kaspar allongé là, juste devant elle, ne la
quittant pas des yeux, sa queue fouettant l'air de satisfaction. En ressortant, je restai quelques instants derrière la porte simplement à écouter. Je compris dès ce

moment que je passai là dans le couloir, que c'était un jour que je n'oublierais pas. Mais je n'aurais pu imaginer, même dans mes rêves les plus fous, à quel point l'arrivée de la comtesse et celle de Kaspar allaient changer ma vie à jamais.

Johnny Trott ? Pas du tout !

Je n'ai jamais eu de mère, ni de père d'ailleurs, ni aucun frère ni sœur ; pas que je sache en tout cas. Ce n'est pas que je me plaigne de mon sort. La vérité est qu'on ne regrette pas ce qu'on n'a jamais eu. Mais on se pose des questions.

Quand j'étais petit à l'orphelinat d'Islington, j'essayais souvent d'imaginer qui pouvait être ma mère, à quoi elle ressemblait, comment elle s'habillait, comment elle parlait. Je ne sais pas pourquoi, mais je ne me suis jamais beaucoup soucié de mon père.

Je devais avoir environ neuf ans quand, en revenant de l'école par Tollington Road, je vis une jolie dame passer dans une voiture à cheval. Par hasard, la voiture s'arrêta juste à côté de moi. La dame était entièrement vêtue de noir, et je vis qu'elle avait pleuré. Je ne sais pas pourquoi, mais je lui souris, et elle me sourit à son tour. J'eus alors la certitude que c'était ma mère. Puis l'équipage repartit, et elle disparut.

Je rêvais d'elle pendant des mois. Ensuite, lorsque le souvenir de ce moment commença à s'effacer, le rêve s'évanouit aussi. J'avais d'autres mères imaginaires. Elles n'avaient pas besoin d'être de la haute société ni riches, mais je n'avais pas non plus envie de me représenter ma mère à genoux en train de frotter le seuil de la maison de quelqu'un, le nez et les mains rouges, gercés par le froid. Par-dessus tout, il fallait que ma mère soit belle. Ni trop vieille, ni trop jeune. Elle ne devait pas avoir d'enfants. Il était essentiel pour moi d'être son fils unique. Et bien sûr, elle aurait les cheveux blonds, puisque j'avais les cheveux blonds.

Rien d'étonnant, donc, à ce qu'en quelques jours, j'aie décidé que la comtesse Kandinsky avait exactement le profil requis. Elle était blonde, suprêmement belle et élégante, avait à peu près l'âge d'être ma mère, et pour autant que je puisse le savoir, n'avait pas d'enfant. Si elle était ma mère, j'étais forcément un comte ou un prince russe – je ne m'inquiétais pas trop de savoir si c'était l'un ou l'autre. Plus j'y pensais, plus l'idée me séduisait, et plus j'en rêvais tout éveillé.

Je restais allongé dans ma petite mansarde tout en haut, au bout du couloir de service, là où le toit fuyait, où les gouttières gargouillaient et gémissaient, et je me laissais aller à mes rêveries, sachant bien sûr que c'était probablement absurde, mais y croyant juste assez pour y trouver quand même du plaisir. Lorsque j'y repense, je suis sûr que ce sont ces divagations idiotes, autant que mes devoirs à l'égard du chat, qui me donnaient tellement envie de me rendre dans les appartements de la comtesse pendant qu'elle se trouvait à l'Opéra, en train de répéter. Je montais dans sa suite dès que j'en avais l'occasion, aussi souvent que je le pouvais sans qu'on remarque mon absence dans le hall. Je montais et descendais sans arrêt dans l'ascenseur pour porter les bagages, et chaque fois, je m'échappais juste une minute ou deux pour jeter un coup d'œil à Kaspar. M. Freddie s'en rendit compte, bien sûr – il remarquait tout.

– Pourquoi es-tu monté, mon garçon ? me demanda-t-il une fois, tandis que je redescendais.

– Pour rien, répondis-je avec un haussement d'épaule.

– Eh bien un jour, dit-il, peut-être que ce rien te causera beaucoup d'ennuis avec Face de Momie. Tu aurais intérêt à faire attention.

Je savais que M. Freddie ne me dénoncerait pas, ce n'était pas son genre.

En général, je trouvais Kaspar assis à la fenêtre de la chambre, en train de contempler les péniches qui

passaient sur le fleuve, ou parfois endormi, pelotonné
dans le fauteuil du salon. Dans l'un ou l'autre cas,
il daignait à peine m'accorder un regard tant que sa
nourriture n'était pas dans son écuelle et tant qu'il
n'avait pas décidé que c'était le moment. Les premiers jours, j'avais l'impression qu'il me traitait à peu
près de la même façon que la plupart des clients du
Savoy, avec froideur et dédain. Je voulais l'aimer et
qu'il m'aime, mais il gardait ses distances. J'aurais
voulu le caresser de nouveau, mais je n'osais pas, car
il me montrait très clairement par la façon dont il me
regardait qu'il ne voulait pas que je le fasse. J'osais lui
parler, cependant – probablement parce qu'il ne pouvait pas me répondre. Je m'accroupissais à côté de lui,
tandis qu'il était allongé dans son fauteuil et se léchait

après son repas. Je lui racontais que je ne m'appelais pas du tout Johnny Trott, mais le comte Nicolas Kandinsky – le tsar de Russie s'appelait Nicolas, je le savais, et je trouvais que ce prénom me conviendrait à merveille. Je racontais à Kaspar qu'en fait j'étais le fils que la comtesse avait perdu depuis longtemps, et qu'elle était venue chercher à Londres, qu'il fallait donc me traiter avec le plus grand respect, même s'il était prince, car il n'y avait pas tant de différence que ça entre un prince et un comte.

Il écoutait mes divagations pendant un moment, mais il s'en lassait vite, lançait un grand ronronnement ronflant, fermait les yeux et s'endormait. Au bout de quelques jours seulement, cependant, il m'étonna en sautant sur mes genoux après avoir fini son repas. J'osai alors espérer qu'il commençait enfin à me traiter d'égal à égal, qu'en fin de compte il avait dû croire à mon histoire, et que nous pourrions désormais être amis. Je me mis donc à le caresser.

Je m'étais manifestement permis d'aller trop loin. Kaspar enfonça ses griffes dans mon genou, juste pour me rappeler qui était le prince, puis il sauta par terre et se dirigea vers le rebord de la fenêtre, où il s'installa pour contempler les péniches sur le fleuve en m'ignorant délibérément, sa queue fouettant l'air de satisfaction. Je le rejoignis pour essayer de me réconcilier avec lui.

– Je t'aime moi aussi, lui déclarai-je.

J'avais pris un ton ironique, mais tout en le disant,

je savais que je le pensais vraiment. C'était un être ingrat, hautain, et pas engageant pour un sou. Pourtant, je l'aimais, et je voulais qu'il m'aime. Il faut dire qu'à certains moments, je me régalais franchement en voyant les airs distants et aristocratiques que prenait Kaspar. Deux fois par jour, pendant mes heures de repos, je l'emmenais faire une promenade. Nous allions au parc, tout en bas près du fleuve, mais pour y arriver, je devais le tenir en laisse, depuis l'ascenseur jusqu'à la porte d'entrée de l'hôtel, à travers le hall. Je jure que Kaspar savait très bien que tout le monde le regardait et l'admirait. Il ne manquait vraiment pas

d'allure, marchant la tête haute, superbe comme le prince des chats qu'il était, sa queue ondoyant majestueusement. Comme j'étais fier ! M. Freddie ôtait son chapeau haut de forme pour nous saluer au passage. Son geste était un rien moqueur, je le savais, mais il y avait autre chose aussi. M. Freddie savait reconnaître ceux qui avaient de la classe, et le prince Kaspar en avait. Personne ne pouvait avoir de doute là-dessus. Même les chiens du parc s'en rendaient compte. Un seul regard profondément méprisant de Kaspar, et l'espoir qu'ils pouvaient nourrir d'une bonne chasse au chat s'évanouissait instantanément. La queue entre

les pattes, ils aboyaient contre nous, mais seulement à bonne distance. Kaspar se contentait de leur montrer clairement son dédain, puis il les ignorait.

Ce fut sur un banc du parc, un jour de printemps, six semaines plus tard environ, que Kaspar me manifesta réellement de l'affection pour la première fois. Il était assis sur le banc à côté de moi, se prélassant au soleil, lorsque sans même y penser, je lui caressai la tête. Il leva les yeux vers moi pour me faire savoir que cela lui convenait, puis il me sourit. Je vous promets qu'il me sourit. Je sentis qu'il poussait sa tête vers ma main, puis il se laissa envahir par un long ronronnement. Sa queue tremblait de plaisir. Je sais que cela peut paraître idiot, mais je me sentis alors si heureux que je faillis ronronner moi-même. Je le regardai dans les yeux, et je vis soudain qu'il m'aimait bien, qu'il me considérait enfin comme un ami. C'était un honneur pour moi.

Le lendemain matin, je rencontrai la comtesse, qui se hâtait de traverser le hall.

– Ah, Johnny Trott, dit-elle, tandis que je lui ouvrais la porte d'entrée. Je suis en retard pour ma répétition. Je suis toujours en retard. Viens avec moi. J'ai quelque chose d'important à te dire.

Il pleuvait, je l'abritai donc sous un parapluie tandis que nous traversions le Strand, puis le marché de Covent Garden, que nous passions devant le joueur d'orgue de Barbarie accompagné de son singe qui tournait la manivelle, devant le soldat aveugle qui jouait de l'accordéon près des étals de fruits. Elle s'arrêta pour flatter l'encolure du cheval du charbonnier, qui se tenait sous la pluie, la tête baissée entre les brancards, trempé jusqu'aux os et l'air profondément malheureux. La comtesse réprimanda bruyamment le cocher lorsqu'il sortit du pub, lui dit sans mâcher ses mots qu'il aurait dû mettre une couverture sur le cheval par un temps pareil, et qu'en Russie, on traitait les chevaux correctement. Le charbonnier resta sans voix, trop sonné, trop honteux pour riposter. Nous continuâmes notre chemin.

– Je dois te remercier, Johnny Trott. Le prince Kaspar est un chat très heureux, heureux d'être à Londres. Et quand Kaspar est heureux, je suis heureuse aussi. Je chante mieux lorsque je sais que Kaspar est content. C'est vrai. Sais-tu comment je sais qu'il est content ? Eh bien, il m'a souri ce matin. Or comme c'est une chose qu'il ne fait pas très souvent, j'en conclus que tu dois vraiment bien t'occuper de lui.

J'allais lui révéler que Kaspar m'avait souri la veille, mais elle était sur sa lancée et je n'osai l'interrompre.

– Tu nous rends tous les deux si heureux, Johnny Trott, que je veux t'inviter à l'opéra de Covent Garden voir *La Flûte enchantée*. Demain soir. C'est la première. Tu viendras ?

J'étais tellement abasourdi que j'en oubliai de la remercier.

– Moi ? demandai-je.

– Pourquoi pas ? Tu seras assis à la meilleure place.

Premier balcon. Tu es un invité de la Reine de la Nuit.

— J'aimerais beaucoup venir, comtesse, sincèrement j'aimerais, dis-je. Mais je ne peux pas. Je serai en train de travailler. Je ne finis pas avant dix heures du soir.

— Ne t'inquiète pas, j'ai déjà arrangé ça avec le directeur de l'hôtel, répliqua-t-elle avec un geste impérieux de la main. Je l'ai prévenu que tu ne travaillerais pas demain. Tu es libre toute la journée.

— Mais il faut être élégant pour aller à l'Opéra, comtesse. J'ai vu tous les messieurs distingués et les dames qui y vont. Je n'ai pas les vêtements qu'il faut.

— J'arrangerai ça aussi, Johnny Trott. Tu verras. Je m'occupe de tout.

Et c'est ce qu'elle fit. Elle loua un costume pour moi – le premier vrai costume que j'aie jamais mis. J'avais du mal à le croire, le lendemain, lorsque je me retrouvai devant elle dans son salon, bien lavé, soigneusement coiffé, tandis qu'elle ajustait mon col et ma cravate.

Je me revois encore, les yeux levés vers son visage, n'ayant qu'une envie, l'appeler « maman », la serrer fort dans mes bras et ne plus jamais la laisser partir.

Elle fronça les sourcils.

— Pourquoi me regardes-tu ainsi, Johnny Trott ? demanda-t-elle. On dirait que tu as les larmes aux yeux. J'aime ça. Tu es un garçon qui a des sentiments, tu seras donc un homme au grand cœur. Mozart avait un grand cœur, et c'est le plus grand homme qui ait jamais vécu. Un peu fou peut-être, mais je pense qu'il faut être un peu fou pour être grand. Je vais te dire quelque chose, Johnny Trott. Je n'ai ni fils ni mari. Je n'ai que le prince Kaspar et ma musique. Mais si j'avais un mari, ce serait Mozart, et je vais te dire autre chose : si j'avais un fils, je voudrais qu'il soit comme toi. C'est la vérité. Maintenant, Johnny Trott, prends mon bras et conduis-moi à Covent Garden. Marche fièrement, Johnny Trott. Comme Kaspar. La tête haute, à la manière d'un prince, comme si tu étais mon fils.

Cette fois, lorsque M. Freddie me vit arriver et qu'il souleva son chapeau haut de forme, il n'y avait plus la moindre moquerie dans son geste, il était tout simplement bouche bée de stupéfaction. Le hall du *Savoy* devint silencieux, le personnel nous regardant passer avec incrédulité. J'avais l'impression de mesurer trois mètres de haut, et cela pendant tout le trajet à travers le marché de Covent Garden jusqu'à l'Opéra royal.

J'aimerais pouvoir dire

35

que je me souviens de chaque moment, de chaque note de ma soirée à l'Opéra, mais ce n'est pas le cas. Tout se passa dans un éblouissement confus. Je me rappelle en revanche très clairement la première apparition sur scène de la comtesse Kandinsky comme Reine de la Nuit, les applaudissements frénétiques après chaque aria qu'elle chanta, et l'ovation du public debout à la tombée du rideau. J'étais si fier d'elle, si transporté, que je fourrai mes doigts dans la bouche et la sifflai le plus fort, le plus longuement possible, ignorant les regards désapprobateurs autour de moi. Je savais très bien que ce n'était pas une chose à faire, mais je m'en fichais. Je me levai et applaudis à tout rompre jusqu'à en avoir mal aux mains, jusqu'à ce que le rideau retombe pour la dernière fois.

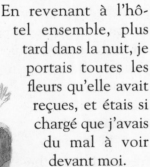

En revenant à l'hôtel ensemble, plus tard dans la nuit, je portais toutes les fleurs qu'elle avait reçues, et étais si chargé que j'avais du mal à voir devant moi.

Kaspar nous attendait, miaulant autour de nous jusqu'à ce que je lui donne un peu

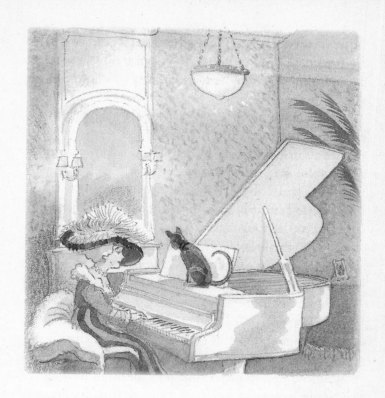

de lait. La comtesse alla droit au piano, son chapeau
encore sur la tête, et se mit à jouer doucement.

– C'est un morceau que je joue chaque soir après
l'Opéra, avant d'aller me coucher. Une berceuse de
Mozart. Elle est belle, non ? Le prince Kaspar l'aime
beaucoup.

Comme s'il voulait le prouver, Kaspar bondit sur
le piano pour écouter.

– Johnny Trott, poursuivit-elle, sans interrompre

sa musique. Est-ce que tu penses que les gens ont aimé ce que j'ai chanté ce soir ? Tu dois me dire la vérité.

— Bien sûr, lui dis-je. Vous n'avez pas entendu les applaudissements ?

— Et toi, Johnny Trott, est-ce que tu aimes ma façon de chanter ?

— Je n'ai jamais rien entendu d'aussi magnifique, répondis-je, et j'étais sincère.

Elle s'arrêta de jouer et me fit signe par-dessus le piano. Elle tendit le bras et m'ébouriffa les cheveux, les écartant de mon front.

— Va maintenant, Johnny Trott. Il est très tard.

Le lendemain, M. Freddie et tous les autres, dans le couloir de service, me taquinèrent sans pitié.

— Alors le môme Tralala !

Ils m'appelaient « Tralala ! ». Ils pouvaient dire tout ce qu'ils voulaient, ça m'était égal. J'étais au septième ciel. Pendant notre promenade au parc ce matin-là, je racontai à Kaspar ma nuit à l'Opéra, je lui racontai que la comtesse avait su toucher tous les cœurs, qu'on ne parlerait que d'elle à Londres, et qu'il devait en être très fier. Profitant d'un moment où il n'y avait personne près de nous, je lui sifflai même le passage d'un air dont je me souvenais, mais cela ne parut pas l'impressionner le moins du monde.

En franchissant la porte d'entrée de l'hôtel une demi-heure plus tard, je m'attendais aux mêmes quolibets, et à de nouvelles moqueries. Je les espérais presque. Mais en passant dans le hall, je remarquai que tous se comportaient bizarrement, évitaient mon regard et ne voulaient manifestement pas me parler. Au début, je crus qu'ils étaient en colère contre moi. Puis M. Freddie vint vers moi et m'emmena doucement à l'écart, comme pour me donner un conseil, pensai-je, chose qu'il faisait souvent quand je m'étais mis dans mon tort.

— Autant en finir tout de suite, Johnny, commença-t-il. C'est au sujet de la comtesse. Elle a été renversée dans la rue il y a une heure à peu près. Par un omnibus. Il paraît qu'elle a traversé juste devant lui. Elle n'a pas dû le voir arriver. Nous l'aimions tous beaucoup, et toi davantage encore. C'était presque une mère pour toi, n'est-ce pas ? Je suis désolé, Johnny. C'était une femme bonne, belle, et gentille aussi.

Un fantôme dans le miroir

Je pleurai jusqu'à ce que je m'endorme d'épuisement, cette nuit-là. M. Freddie avait raison. La comtesse avait été une mère pour moi – et même si je ne savais pas ce qu'était une vraie mère, elle avait certainement été la mère que j'avais toujours espéré trouver. Je l'avais trouvée, et maintenant elle n'était plus.

J'avais perdu aussi ma première véritable amie, la première personne qui m'ait jamais dit qu'elle m'aimait bien.

Je ne peux pas exprimer à quel point je lui en ai toujours été reconnaissant. De toute ma vie, je n'ai jamais vu quelqu'un dont la lumière ait brillé avec

41

tant de clarté, tant d'éclat, et pour si peu de temps. Le choc de sa mort nous laissa tous dans un état d'abattement. Pendant des jours et des jours, l'hôtel entier resta plongé dans une profonde tristesse.

Il m'en coûte de le reconnaître, mais au début, j'étais trop absorbé par mon propre chagrin pour faire attention à Kaspar, pour penser beaucoup à lui et réfléchir à ce qui allait lui arriver, maintenant que la comtesse n'était plus. Ce fut M. Freddie qui me secoua et me sortit de mon apitoiement sur moi-même.

— Je t'ai observé, Johnny mon garçon, me dit-il un soir. Tu broies du noir toute la journée. Courage ! Ça ne nous ramènera pas la comtesse, n'est-ce pas ? En plus, je suis sûr que ce n'est pas ce qu'elle aurait voulu. Tu sais ce qu'elle aurait voulu ? Elle aurait aimé que tu t'occupes de son chat le mieux possible, et aussi longtemps que possible. Si tu as du chagrin, imagine ce que doit ressentir ce chat. Monte donc là-haut, Johnny, et va le voir. La suite de la comtesse est réservée et payée pour plus d'un mois encore, d'après ce que je sais. Je pense que c'est à toi de veiller sur Kaspar jusqu'à ce que quelqu'un de la famille vienne le chercher.

C'est ce que je fis. Je commençai alors à remarquer à quel point Kaspar était devenu triste. Et j'observai autre chose, aussi. Chaque fois que j'entrais dans la chambre pour voir Kaspar, c'était comme si la comtesse était dans la pièce avec moi. Il m'arrivait même d'avoir l'impression de sentir son parfum. Parfois, j'étais sûr de l'entendre fredonner et chanter. De temps en temps, tard le soir, j'entendais sa berceuse jouée au piano. À plusieurs reprises j'eus l'impression de l'apercevoir dans le miroir, mais lorsque je me retournais, elle avait disparu. Pourtant, je savais qu'elle avait été là. J'en étais certain. Je n'avais pas peur, pas vraiment. Mais cela me troublait et me mettait mal à l'aise quand j'entrais dans ses appartements.

Il était évident pour moi que Kaspar sentait la présence de la comtesse, lui aussi. Il n'était plus du tout lui-même. Il était nerveux, agité, anxieux. Il ne ronronnait plus. Il avait cessé de se laver, et d'après ce que je voyais, il ne dormait presque plus. Il passait des heures à rôder dans les pièces à la  recherche de la comtesse, en miaulant pitoyablement. Il ne mangeait pas, ne buvait pas. Il se languissait d'elle. Je me dis que le fait de le sortir plus souvent, de l'emmener se promener dans le parc, pourrait peut-être l'aider. Il buvait alors dans les flaques, ce qui était déjà quelque chose.

Je m'efforçais de le rassurer autant que je le pouvais. Je lui répétais sans arrêt que tout irait bien. Assis là sur notre banc, chaque jour, je lui promettais sincèrement que je m'occuperais de lui. Mais je voyais bien qu'il ne m'écoutait pas. Plus ça allait, moins il semblait s'intéresser à ce que je lui racontais. Moins il semblait avoir envie de vivre. J'essayais de le nourrir à la main, mais il reniflait simplement la nourriture avant de s'en détourner. J'essayais de lui donner du foie de veau que je prenais dans la cuisine. Je lui proposais les meilleurs morceaux de bœuf, finement hachés. Rien ne marchait. Kaspar perdait de plus en plus de poids, son poil perdait de son brillant. Son pelage devenait rêche. Il n'était plus que l'ombre de lui-même. Rien ne semblait pouvoir arrêter son déclin. Je savais que s'il continuait ainsi, il n'y aurait qu'une seule issue possible. À présent, je restais éveillé la nuit, non plus pour pleurer la comtesse, mais parce que je cherchais désespérément le moyen de sauver la vie de Kaspar.

Ce fut pendant l'une de ces longues nuits sans sommeil que j'eus une idée. Il me vint à l'esprit que je n'avais senti la présence de la comtesse et que je ne l'avais entraperçue que dans sa suite. Peut-être en était-il de même pour Kaspar. Peut-être était-ce ce qui le troublait. Si je le sortais de là d'une manière ou d'une autre, si je l'éloignais d'elle, peut-être réussirait-il à l'oublier.

J'étais convaincu que la seule chose à faire était d'emmener Kaspar, et de m'occuper de lui dans ma petite mansarde. Cela me permettrait aussi d'être plus souvent avec lui. Mais je savais dès le début que ce serait une source de problèmes. Tôt ou tard, comme me l'avait dit M. Freddie, les proches de la comtesse viendraient chercher ce qui lui avait appartenu, et personne ne savait quand ils arriveraient. Ce qui était sûr, en revanche, c'est qu'ils viendraient prendre Kaspar aussi, et qu'ils s'attendraient à le trouver dans sa suite. S'il ne s'y trouvait pas, ils ne manqueraient pas de me demander où il était. À peu près tous ceux qui travaillaient à l'hôtel savaient à présent que je m'étais occupé de Kaspar. Je ne pourrais pas dire que je le gardais dans ma chambre, car il nous était absolument interdit d'avoir des animaux domestiques dans notre chambre. Les règles de la maison étaient

très strictes. Pas d'oiseau en cage, ni de poisson rouge, de chat, de chien, de souris. En fait, aucun ami d'aucune sorte n'était admis dans les chambres du personnel, qu'il s'agisse d'animaux ou d'êtres humains. Enfreindre une seule des règles de l'hôtel entraînait un licenciement immédiat – Face de Momie ne faisait jamais preuve d'indulgence. Je parlai de mon plan à M. Freddie parce que je savais qu'il comprendrait. Il me répondit qu'il était beaucoup trop dangereux de garder Kaspar là-haut, que je perdrais mon travail et me retrouverais à la rue en un clin d'œil si Face de Momie le découvrait.

– Tu ne vas pas tout risquer pour un chat, Johnny, me dit-il. Pas même pour Kaspar.

C'était un bon conseil. J'y réfléchis longuement, profondément, mais à la fin, j'en conclus que je n'avais pas le choix. Je ne voyais pas d'autre moyen de sauver Kaspar. J'expliquai ce que j'allais faire à tous ceux qui avaient une chambre dans le couloir de service – il était de toute façon impossible de garder un chat dans ma mansarde sans qu'ils le sachent. Une chose était certaine : aucun d'eux ne me dénoncerait à Face de Momie, on la détestait trop pour ça. En outre, chacun voyait bien à présent à quel point Kaspar était malade, et chacun voulait l'aider. Tout le monde l'aimait.

Un soir tard, nous étions entassés dans ma chambre lorsque Mary O'Connell, l'une des filles de cuisine, nous fit joindre les mains et conclure le pacte secret de ne pas en parler à âme qui vive. Mary était une fille irlandaise qui venait du comté de Galway. Elle avait beaucoup de caractère et savait toujours trouver les paroles qu'il fallait pour convaincre les autres. Elle était très croyante, et elle nous fit jurer sur sa bible de ne jamais dire un mot. Luke Tandy, un serveur du *Restaurant Riverside*, déclara qu'il ne jurerait pas sur la bible, parce qu'il ne croyait pas à toutes ces « balivernes religieuses ».

— Eh bien, tu as intérêt à croire en quelque chose d'autre, alors, Luke, le prévint Mary en le menaçant du doigt. Si tu dis un seul mot à qui que ce soit, je te battrai jusqu'à ton dernier soupir, et je ne plaisante pas.

Je n'avais qu'une seule personne à craindre : Face de Momie elle-même. Elle ne se montrait pas souvent dans notre couloir, mais nous savions tous qu'elle pouvait monter d'un moment à l'autre. Il fallait surveiller, mais il fallait surtout avoir de la chance.

Le soir même, je descendis furtivement l'escalier, m'introduisis dans les appartements de la comtesse et remontai Kaspar dans son nouveau logement, dans ma petite mansarde. Je le mis aussitôt sur le lit à côté de moi, et lui fis la leçon :

– Pas de tes fameux miaulements, Kaspar. Si Face de Momie te trouve ici, nous sommes finis, toi et moi. Et tu dois manger. Tu dois aller mieux, tu m'entends ?

Il ne miaula pas, mais ne mangea pas non plus. Il resta simplement là, dormant pelotonné sur mon lit, pratiquement sans bouger. Lorsque je le quittai pour prendre mon service en bas, dans le hall, c'est tout juste s'il fit attention à moi. Il ne sembla guère plus intéressé lorsque je revins. Mary O' Connell essaya de le nourrir, de le persuader de manger, mais cela ne l'intéressait pas. Presque tous ceux du couloir firent une tentative. On lui proposa du poulet, du saumon, jusqu'à du caviar une fois – tout ce que Mary pouvait dérober à la cuisine sans se faire remarquer. Les aliments restèrent intacts. Il ne toucha à rien, pas même à son lait.

Au cas où les proches de la comtesse arriveraient, j'avais fait circuler le bruit – aidé par les autres – que Kaspar s'était échappé de la suite de la comtesse et qu'il restait introuvable. J'en fis toute une histoire, prétendant vouloir qu'on fouille l'hôtel de fond en comble, feignant d'être fou d'inquiétude, et demandant

48

à chacun de regarder s'il ne le voyait pas. M. Freddie savait ce que je manigançais, bien sûr, mais en dehors de Mary, de Luke, et de notre bande du couloir, personne n'était au courant.

À présent, je ne pouvais plus emmener Kaspar se promener que la nuit, quand je ne risquais pas de rencontrer trop de monde. Je me dépêchais de sortir par la porte de service, Kaspar caché sous mon manteau. Pendant que nous étions au parc, il semblait se ressaisir un peu, mais cela ne durait jamais longtemps.

De retour dans ma chambre, il se pelotonnait de nouveau et fermait les yeux. Je l'entendais souvent soupirer profondément, comme s'il espérait que chaque souffle serait son dernier. J'avais le cœur brisé de le voir comme ça. Je me sentais complètement impuissant.

Pendant ce temps, le frère et la sœur de la comtesse vinrent prendre ses affaires. Ils demandèrent où était Kaspar, et je leur racontai, comme je l'avais raconté à tout le monde, qu'il avait disparu. Dans le salon de la comtesse, ils restèrent un moment près du piano et pleurèrent sur l'épaule l'un de l'autre. Je me surpris à regarder de nouveau dans le miroir où j'avais si souvent aperçu le reflet fantomatique de la comtesse. Je ne la vis pas, cette fois, mais je sentis sa présence. Je lui promis alors en silence que je ne laisserais pas Kaspar mourir.

Et en effet, Kaspar ne mourut pas. Il fut sauvé. Mais je dois dire que je n'y fus pour rien. En fin de compte, Kaspar fut sauvé par la chance, le hasard, par un simple et heureux concours de circonstances.

J'avais vu la famille Stanton dans l'hôtel, mais au début, je n'y avais guère prêté attention. Elle ressemblait beaucoup à d'autres familles riches qui venaient passer un mois ou deux à l'hôtel. C'étaient des Américains. Le père, la mère, et une petite fille. Les deux parents semblaient plutôt guindés, collet monté, toujours corrects, un peu distants même, ce qui, d'après mon expérience, n'était pas souvent le cas des Américains que j'avais rencontrés à l'hôtel. La petite fille était différente, cependant. Elle devait avoir sept ou huit ans, je pense, et avait toujours des ennuis, se faisait sans cesse réprimander par sa mère. Elle se promenait de son côté, et s'égarait. Comme je devais bientôt l'apprendre, le fait de se perdre ne l'affectait pas le moins du monde, mais cela inquiétait ses parents, surtout sa mère, que j'avais souvent vu passer en hâte dans le hall en train de la chercher.

Ce fut par sa mère, un matin au petit déjeuner, que j'entendis pour la première fois le prénom de la petite fille.

– Elizabeth. Je cherche Elizabeth, disait-elle en montant à toute vitesse les escaliers qui donnaient dans le hall quand on venait du *Restaurant Riverside*.

Mme Stanton avait perdu sa contenance habituelle. Elle semblait affolée, anxieuse.

– Elle s'est encore sauvée. Vous ne l'avez pas vue ? Vous ne l'avez pas vue ?

Heureusement, M. Freddie se trouvait dans les parages. Il était très bon dans ce genre de situations.

— Ne vous inquiétez pas, madame Stanton, nous allons la chercher pour vous. Elle n'a pas franchi la porte d'entrée, elle doit donc être quelque part dans l'hôtel. Le jeune Johnny, là, va aller voir en haut. Chaque étage, Johnny, assure-toi de fouiller soigneusement chaque étage. Et pendant ce temps, madame Stanton, je la chercherai en bas. Nous allons vous la ramener en moins de deux. Elle sera là dans une minute. Vous verrez.

Il frappa dans ses mains vers moi.

— Vas-y, Johnny. Et plus vite que ça ! Grouille-toi, mon garçon !

Une heure plus tard, j'avais fouillé tous les étages de l'hôtel, du premier au dernier, et il n'y avait toujours pas le moindre signe d'elle.

J'étais sur le point de descendre au rez-de-chaussée pour savoir si Freddy l'avait trouvée, lorsque j'eus l'idée de jeter un coup d'œil dans le couloir de service, sous les combles.

Je pensais qu'il était fort improbable qu'elle soit là-haut, mais M. Freddie m'avait dit d'aller voir à chaque étage. En outre, je me rappelais assez bien ma propre enfance pour savoir que les enfants aiment se cacher dans les endroits les plus inattendus. Je montai donc l'escalier pour vérifier.

Du bout du couloir, je vis aussitôt que la porte de ma chambre était ouverte, et je compris qu'elle devait être là. Tandis que je longeais silencieusement le couloir, je l'entendis parler à l'intérieur de ma mansarde.

– Tu es un bon chat, disait-elle, un joli chat, un beau chat.

Je la trouvai agenouillée au pied de mon lit. À côté d'elle, Kaspar mangeait avidement dans son écuelle, engloutissant le foie que je lui avais laissé et ronronnant comme un lion.

Qu'est-ce que ça peut me faire ?

Elizabeth leva les yeux vers moi et sourit.

– Bonjour, dit-elle. Je m'appelle Elizabeth Stanton. Quel est le nom de ce chat ?

– Kaspar, répondis-je.

– Il est à toi ?

– Oui, dis-je. Et c'est ma chambre, aussi.

– J'ai frappé et il n'y avait personne, répliqua-t-elle. Alors j'ai pensé que ce serait une bonne cachette. J'aime bien me cacher. Et puis j'ai vu ce chat allongé sur le lit, et il m'a paru très triste. Il est magnifique, mais très maigre, tu sais, et il n'a pas l'air en bonne santé. Regarde-le ! Il meurt de faim. Tu devrais lui donner plus souvent à manger, à mon avis.

– Ta mère te cherche. Elle croit que tu t'es perdue, lui dis-je, essayant de masquer de mon mieux l'irritation croissante que je ressentais.

Franchement, je n'aimais pas beaucoup m'entendre dire par une fillette riche et prétentieuse que Kaspar avait besoin de manger davantage. N'était-ce pas justement ce que j'avais essayé de lui faire faire depuis des semaines et des semaines ? Malgré le soulagement que j'éprouvais à voir Kaspar manger de nouveau, je dois avouer que j'étais plutôt énervé de constater que cette petite fille semblait avoir réussi si facilement là où j'avais échoué. La vérité est donc qu'à notre première rencontre, je ne fus pas du tout bien disposé à l'égard de Mlle Elizabeth Stanton. Elle paraissait beaucoup trop contente d'elle à mon goût.

– Il faut que je parle de Kaspar à papa et maman, reprit-elle. Est-ce que je peux l'emmener en bas pour le leur montrer ?

Il ne m'était même pas venu à l'esprit, jusqu'à ce moment, que cette petite fille pourrait dévoiler tout notre secret. Je m'accroupis pour me mettre bien en face d'elle, et je posai mes mains sur ses épaules. Il fallait qu'elle sache que je ne plaisantais pas.

– Non, tu ne peux pas. Tu ne dois pas laisser échapper un seul mot là-dessus, lui répondis-je. En fait, je n'ai pas le droit de garder un animal de compagnie ici, tu comprends ? C'est contre le règlement. Pas d'animaux domestiques dans les chambres de service. Si quelqu'un découvre Kaspar, je serai renvoyé, je perdrai ma place. Je n'aurai plus d'endroit où habiter, et Kaspar non plus. Personne d'autre ne sait qu'il vit là. Alors, tu ne le diras à personne, n'est-ce pas ? Ce sera notre petit secret, d'accord ?

Elle m'avait regardé attentivement pendant tout le temps où je lui avais parlé. Elle réfléchit un instant avant de répondre :

— Je n'aime pas les règlements, surtout quand ils sont injustes, comme ceux qui interdisent d'avoir un chat. Je n'en parlerai à personne, croix de bois, croix de fer.

Puis elle ajouta :

– Mais tu me laisseras monter ici pour donner à manger à Kaspar, d'accord ?

Je n'avais pas le choix.

– Pourquoi pas, dis-je. Si tu veux.

– Oui, je veux ! s'écria-t-elle. Je l'aime tellement, et lui aussi, il m'aime, je le sais.

C'était vrai. Kaspar la regardait avec adoration. Il avait du mal à détacher ses yeux d'elle. Elle m'attrapa la main et la serra.

– Oh merci, merci ! Mais au fait, je ne sais pas comment tu t'appelles.

– Johnny Trott, répondis-je.

Elle éclata de rire.

– Johnny Trott. Johnny Rote. C'est vraiment un drôle de nom ! Salut Kaspar, salut Johnny Rote !

Elle fila dans le couloir, toujours en gloussant, puis disparut. Tandis que je la regardais partir, je me souvins de la dernière personne qui avait trouvé mon nom si drôle. Et Elizabeth me parut déjà moins antipathique.

Je n'ai jamais compris, ni alors ni aujourd'hui, ce qu'elle avait fait pour que Kaspar mange son foie ce matin-là. Un jour, quand je la connus mieux, je le lui demandai. Elle eut l'un de ses haussements d'épaules exaspérants.

– Facile, quand on sait s'y prendre, dit-elle. Les animaux font toujours ce que je veux, parce qu'ils savent que je ferais n'importe quoi pour eux. Ils le savent parce qu'ils sentent que je les aime, et c'est pour ça qu'ils m'aiment.

Elle avait cette façon, qu'ont certains enfants, de donner l'impression que tout est simple et coule de source.

Après cette première visite surprise, Mlle Elizabeth Stanton, ou Lizbeth comme je découvris qu'elle aimait qu'on l'appelle, vint nourrir Kaspar dans ma chambre au moins deux fois par jour, sans jamais oublier. Parfois j'étais là, parfois je n'y étais pas. Chaque fois qu'elle était passée, je trouvais un petit mot griffonné sur mon oreiller. Elle écrivait à peu près ce genre de choses :

Cher Johnny Rote, je suis encor venu donné à mangé à Caspar. J'ai pris un peu de somon fumé de mon peti déjeuné. Il aime beaucou ça, et pas moi parce que ça sen cette horible odeur de poisson. J'ai ausi fai ton lit, parce qu'il était défai. Tu devrais quand même t'en occcupé. Ne t'inquiète pas ton secré es bien gardé. Promis. J'aime les secrés parce que c'est come se caché, et j'aime me caché. Ton amie Lizbeth.

Que Kaspar ait été sauvé par l'arrivée de Lizbeth, c'est une chose dont je n'ai jamais douté. D'une certaine façon, elle lui a apporté de la joie dans une vie où il n'y avait plus que du chagrin. Lorsqu'elle était à côté de lui, il buvait et mangeait tout ce qui était à sa portée. Au bout d'une semaine, il se mit à aiguiser ses griffes, surtout sur les rideaux, mais parfois aussi sur mon pantalon, même quand je le portais sur moi. Ça faisait vraiment mal. Mais ça m'était égal, tellement j'étais content de le voir aller mieux. Son pelage était brillant, sa queue remuait, et lorsqu'un matin il me sourit, j'eus la certitude que le prince Kaspar Kandinsky était redevenu lui-même. Lizbeth lui avait remonté le moral, et le mien aussi par la même occasion. La seule chose qui m'inquiétait, c'était qu'un jour, ayant d'autres chats à fouetter (c'est le cas de le dire), elle ne vende la mèche. Je lui rappelais sans cesse qu'il était essentiel de ne pas trahir notre secret.

— Rappelle-toi, Lizbeth, bouche cousue !

Je le lui répétai chaque soir, un doigt devant la bouche, avec un air de conspirateur. Elle aimait ça. Et chaque fois qu'elle sortait de ma chambre, elle mettait un doigt devant sa bouche :

— Bouche cousue, murmurait-elle.

Lizbeth devint une vraie mascotte dans notre couloir, et une vraie héroïne aussi, après tout ce qu'elle avait fait pour Kaspar. Elle était peut-être un peu bavarde, et assez espiègle aussi – mais elle était très drôle et nous faisait bien rire. Je ne pouvais m'empêcher de me demander, cependant, si elle ne risquait pas, un jour où elle serait surexcitée, de dévoiler notre secret sans s'en rendre compte.

Je pris toutes les précautions possibles, lui demandant de toujours vérifier qu'il n'y ait personne derrière elle avant de monter l'escalier qui menait à notre couloir, et lui imposant la règle absolue de parler à voix basse chaque fois qu'elle venait nous voir. C'était, semblait-il, le genre de règles qu'elle acceptait très bien. Lizbeth, je le découvris bientôt, aimait tout ce qui avait un air de conspiration. Ce fut lors de ces longues conversations à voix basse dans ma chambre que j'en appris un peu plus sur elle. À vrai dire, ce n'étaient pas du tout des conversations ni rien de tel. C'étaient plutôt des espèces de monologues. Une fois que Lizbeth se lançait dans l'une de ses histoires, on ne pouvait plus l'arrêter. «Est-ce que tu sais?» commençait-elle, et elle devenait intarissable. Elle restait assise en tailleur sur le plancher de ma chambre, Kaspar sur les genoux, et elle parlait, parlait. Moi, j'étais content de l'écouter, parce qu'elle évoquait un monde que je n'avais jamais connu de l'intérieur. Depuis plus d'un an, depuis que j'avais quitté l'orphelinat, je servais des gens comme elle au *Savoy*. Je leur rendais toutes sortes de services, je cirais leurs chaussures, brossais leurs manteaux, leur ouvrais la porte, faisais des courbettes, comme il convient à un groom. Mais jusqu'à présent, aucun d'eux ne m'avait jamais parlé, si ce n'est en claquant des doigts pour m'appeler ou pour me donner un ordre.

Il est vrai que, parfois, je ne savais plus très bien si Lizbeth me parlait à moi, ou si elle s'adressait à Kaspar. Ce n'était pas très important, de toute façon. Nous l'écoutions tous les deux, aussi fascinés l'un que l'autre, Kaspar ne la quittant pas des yeux, ronronnant de plaisir, et moi pendu à ses lèvres.

Un jour, elle nous parla du grand paquebot qu'elle avait pris pour venir d'Amérique, des icebergs qu'elle avait vus, aussi hauts que les gratte-ciel de New York – la ville où elle habitait –, puis elle nous raconta comment un matin, en pleine mer, elle était partie de son côté pour chercher une cachette, et s'était retrouvée en bas, dans la salle des moteurs. Cela avait fait toute une histoire, nous expliqua-t-elle, parce que tout le monde croyait qu'elle était passée par-dessus bord. On avait fini par la retrouver et par la ramener dans sa cabine. Sa mère avait pleuré toutes les larmes de son corps et l'avait appelée « mon petit ange », mais son père avait décrété qu'elle était la « petite fille la plus méchante du monde ». Elle ne savait donc plus très bien ce qu'elle était.

Ensuite, on l'avait conduite devant le capitaine du bateau, qui avait un grand et gros visage aux yeux tristes, comme un morse, dit-elle. On lui avait demandé de s'excuser auprès de lui pour avoir causé tant de soucis à l'équipage, qui avait dû fouiller le navire de fond en comble pendant des heures avant de la retrouver, et pour avoir dérangé le capitaine lui-même qui, après avoir fait arrêter son navire en

pleine mer, avait dû demander à ses vigies de scruter
l'océan avec des jumelles pour la chercher. Elle avait
dû donner sa parole au capitaine qu'elle n'irait plus
se promener toute seule tant qu'elle resterait à bord.
Elle avait promis, mais en croisant les doigts derrière
son dos, dit-elle, pour que ça ne compte pas.

Aussi, lorsque la mer devint très agitée un jour
ou deux plus tard, et que le bateau fut secoué par les
vagues les plus vertes et les plus grosses qu'elle eût

jamais vues, que tout le monde fut malade comme un chien, elle décida de suivre le conseil que lui avait donné un marin en cas de mauvais temps, de descendre tout au fond du navire, là où l'on sent le moins le roulis, et de s'allonger.

Le fin fond du bateau, découvrit-elle, était peuplé de vaches et de veaux. Elle se coucha donc à côté d'eux dans la paille, et ce fut là qu'on la retrouva, profondément endormie, après la tempête. Cette fois ses *deux* parents étaient « fous de rage » contre elle. On l'enferma donc dans la cabine en guise de punition. Elle haussa les épaules.

— Ça m'était égal, dit-elle. Qu'est-ce que ça peut me faire, de toute façon ?

Quand elle était chez elle, à New York, sa gouvernante l'obligeait toujours à monter dans sa chambre pour lui faire recommencer ses devoirs, soit parce que c'était mal écrit, soit parce qu'il y avait trop de fautes d'orthographe. Sa mère aussi l'envoyait sans cesse dans sa chambre sous prétexte qu'elle courait dans toute la maison au lieu de marcher, ou qu'elle faisait du bruit pendant que son père travaillait dans son bureau.

— Ça m'est égal, dit-elle en haussant les épaules, et avec un petit rire. Qu'est-ce que ça peut me faire, de toute façon ?

Pendant les vacances, sa famille remontait la côte vers le Maine, dans leur trois-mâts nommé *Abe Lincoln*, puis ils occupaient une grande demeure sur une île où il n'y avait pas d'autre maison que la leur, et personne en dehors d'eux, de leurs invités, de leurs domestiques. Un jour elle décida d'être un pirate, elle noua donc un foulard à pois autour de sa tête, et partit avec sa pelle chercher un trésor enfoui. Lorsqu'on l'appela, elle se cacha dans une grotte et n'en sortit que quand elle en eut envie. Elle savait que ses parents seraient furieux, mais elle ne supportait pas qu'on l'appelle «comme on siffle un chien». Lorsqu'elle rentra le soir, on l'envoya directement au lit sans dîner.

— Je ne voulais pas dîner, de toute façon, dit-elle, alors qu'est-ce que ça pouvait me faire ?

Peu à peu, à travers ces histoires et des dizaines d'autres, je reconstituais une partie de la vie de Lizbeth et de sa famille. Je les regardais d'une tout autre manière, à présent, lorsqu'ils marchaient à côté de moi pour aller prendre leur petit déjeuner, que je leur ouvrais la porte et leur souhaitais une bonne journée. Lizbeth m'adressait un grand sourire rayonnant chaque fois qu'elle me voyait dans le hall, M. Freddie me faisait un clin d'œil depuis la porte d'entrée, et parfois, il murmurait un *miaou* à voix basse, en passant près de moi. De tels moments suffisaient à me remonter le moral pour la journée. La vie me paraissait soudain belle, et amusante aussi. Kaspar s'était rétabli ; nous avions, lui et moi, trouvé une nouvelle amie, et notre secret était bien gardé. Tout allait bien, enfin c'est ce que je croyais.

Les casse-cou

Ensuite, tout sembla arriver soudainement, et se précipiter. C'était un week-end tranquille à l'hôtel, avec moins de clients que d'habitude. Il n'y avait pas de grand dîner habillé, pas de bal important, pas de réception mondaine. Nous tous qui travaillions là, nous préférions qu'il en soit ainsi, même si les journées se traînaient un peu. Chacun était plus détendu. J'aimais bien les week-ends, de toute façon, car Kaspar et moi pouvions voir Lizbeth plus longtemps. Elle s'ennuyait terriblement en bas, et montait souvent furtivement jusqu'à notre étage pour voir Kaspar, jusqu'à trois ou quatre fois par jour, en me laissant

69

toujours un petit mot. Je finissais de travailler plus tôt le dimanche, et la plupart du temps, lorsque je revenais dans ma chambre, elle m'attendait là avec Kaspar.

Parfois, elle dérobait quelques petits pains au lait et des gâteaux qu'elle cachait dans une serviette – elle disait toujours que j'étais trop maigre et que j'avais besoin de manger davantage – et comme j'avais sacrément faim après mon travail, je la laissais faire.

Nous étions assis là un dimanche en fin d'après-midi, en train de déguster un délicieux cake, quand j'entendis une voix dans le couloir. Face de Momie ! C'était Face de Momie ! Elle parlait à Mary O'Connell et n'était pas de bonne humeur.

– Cet idiot de Johnny Trott, il est dans sa chambre ?

– Je ne l'ai pas vu, madame Blaise, répondit Mary. Je vous assure.

Les pas se rapprochèrent, le trousseau de clés cliquetant de plus en plus fort au fur et à mesure qu'elle avançait.

Face de Momie fulminait à présent.

– Non mais vous ne savez pas ce qu'il a fait ? Eh bien, je vais vous le dire ! Il a passé du cirage noir sur les meilleures bottes marron de lord Macauley. Elles sont couvertes de noir, maintenant. Et sur qui c'est retombé ? Sur moi, bien entendu. Je vais lui tordre le cou. Où est-il ?

– Je ne sais pas, madame Blaise. Parole d'honneur !

Mary faisait ce qu'elle pouvait pour moi.

Les pas résonnèrent jusque devant ma porte, et j'étais là avec Lizbeth dans ma chambre, Kaspar sur ses genoux en train de faire sa toilette. Il suffisait que Face de Momie ouvre la porte pour que je sois viré, c'était sûr. J'entendais le sang battre à mes oreilles. Je priais pour que d'une manière ou d'une autre Mary l'empêche d'ouvrir cette porte. C'est le moment précis que Kaspar choisit pour arrêter de se lécher les pattes, sauter à bas des genoux de Lizbeth et miauler furieusement. Ce n'était pas son gentil *miaou*, c'était son cri de guerre, un gémissement grinçant, perçant et fort, horriblement fort.

Pendant quelques instants, il y eut un silence dans le couloir. Puis :

– Un chat ! Aussi vrai que je vis et que je respire, un chat ! s'écria Face de Momie. Johnny Trott a un chat dans sa chambre ! Comment ose-t-il ? Non mais comment ose-t-il ? C'est contre le règlement, mon règlement !

Je regardai Lizbeth, atterré. Sans une seconde d'hésitation, elle prit Kaspar et me le lança brusquement dans les bras.

– Dans l'armoire, me chuchota-t-elle. File dans l'armoire ! Vite !

Une fois caché là, je m'accroupis et caressai désespérément Kaspar pour le calmer et l'empêcher de recommencer à miauler. C'est alors que j'entendis quelque chose de tout simplement incroyable. Kaspar miaulait de nouveau, mais à l'extérieur de l'armoire, à l'extérieur de ma chambre. C'était pourtant impossible, puisque je le tenais dans les bras, à l'intérieur de l'armoire, et qu'il ne miaulait absolument pas. Pourtant *il miaulait* – je l'entendais bien ! Dans mon état de panique et de confusion, il me fallut un moment avant de réaliser ce qui se passait : Lizbeth était sortie de ma mansarde et imitait à la perfection le cri de Kaspar.

Par la suite, Mary me raconta – elle raconta à tout le monde – exactement ce qui s'était passé. À ce qu'il paraît, Lizbeth ouvrit la porte à Face de Momie en miaulant et en lui gémissant à la figure exactement comme Kaspar. Face de Momie resta pétrifiée, regardant Lizbeth bouche bée. Elle n'en croyait pas ses yeux. Elle mit un certain temps avant de pouvoir prononcer un seul mot. Elle ouvrait puis fermait la bouche comme un poisson rouge, dit Mary. Puis Face de Momie se reprit un peu.

– Que faites-vous donc ici, jeune fille ?… demanda-t-elle enfin. Que faites-vous donc ici tout en haut, mademoiselle, dans les chambres de service ? C'est strictement interdit.

– Je suis un chat, lui répondit Lizbeth très calmement entre deux miaulements. Je chassais une souris qui s'est enfuie par là. Alors, je l'ai suivie, et je l'ai attrapée. Je suis très fort pour chasser les souris, vous savez. Je l'ai avalée d'un coup. Je n'en ai fait qu'une bouchée. Je dois dire qu'elle était délicieuse. La meilleure souris que j'aie jamais mangée. Salut !

Sur ce, elle adressa un grand miaulement à Face de Momie, stupéfaite, s'éloigna en gambadant dans le couloir, toujours en miaulant, sans s'arrêter devant Mary et les autres qui étaient tous sortis, attirés par le vacarme.

Alors Face de Momie, d'après Mary, pointa le nez dans ma chambre, la parcourut rapidement du regard, puis claqua la porte furieusement derrière elle et repartit comme un ouragan dans le couloir, rageant et tempêtant.

– Ah les enfants, ces maudits enfants ! fulmina-t-elle. Si on m'écoutait, on les ferait tout simplement interdire au *Savoy*. Ils ne sont qu'une plaie, une vraie plaie. S'il y a une chose que je ne supporte pas, ce sont les enfants gâtés. Et une enfant gâtée américaine, c'est pire que tout, l'œuvre du diable lui-même ! Courir en liberté comme ça dans tout mon hôtel ! Comment ose-t-elle ?

Elle s'arrêta, se retourna, menaçant tout le monde du doigt :

– Et dites bien à ce Johnny Trott quand vous le verrez qu'il doit s'excuser auprès de lord Macauley, et cirer de nouveau ses bottes. Cette fois, je les veux d'un brun noisette brillant, sans une trace de noir. Il doit venir me les montrer avant de les rendre à son propriétaire. Qu'il le fasse immédiatement, immédiatement ! Dites-le-lui.

Comme nous avons ri dans le couloir après son départ ! Nous étions pliés en deux, nous en avions mal aux côtes. Lizbeth, que tout le monde adorait déjà ici, était devenue une héroïne sans égal. Sa présence d'esprit, son effronterie et son audace nous avaient sauvé la mise, avaient probablement sauvé mon emploi aussi, et très certainement Kaspar en empêchant qu'il soit emmené loin d'ici.

Mais le lendemain seulement, cette même audace faillit lui coûter la vie, et la mienne aussi, d'ailleurs. Ce fut Kaspar qui me fit comprendre que quelque chose n'allait pas. Il était toujours content de me voir quand je montai après le travail. Il restait allongé sur le lit, les pattes en l'air, faisant onduler sa queue, attendant que je lui caresse le ventre. J'allai dans ma chambre pour le voir vers onze heures, comme d'habitude, pendant ma première pause de la matinée. J'espérais que Lizbeth serait là, avec lui.

Mais ce matin-là, elle ne s'y trouvait pas. Et Kaspar n'était pas couché sur mon lit, non plus. Il se promenait de long en large en miaulant. Très agité, il montait d'un bond sur le rebord de la fenêtre, puis en redescendait aussitôt. Je l'avais déjà vu dans cet état lorsqu'un pigeon se pavanait et roucoulait sur la corniche derrière la fenêtre. Pourtant, il n'y avait pas de pigeon ce jour-là. J'essayai de lui donner à manger

– je me dis que ça pourrait le calmer – mais il ignora mes tentatives. Il était évident que rien ne l'intéressait en dehors de ce qui se passait derrière la fenêtre. Je grimpai donc, et ouvris la fenêtre assez grand pour y passer le cou et scruter l'étroit chéneau dans les deux sens. Pas de pigeon là non plus.

C'est alors que je découvris Lizbeth. Je vis aussitôt ce qu'elle essayait de faire. Elle était à quatre pattes et grimpait du chéneau jusqu'aux tuiles du toit. Devant elle, un pigeon claudiquait sur une seule patte vers le sommet du toit. Son autre patte pendait, inerte. Lizbeth montait derrière lui en roucoulant, s'arrêtant de temps en temps pour lui jeter quelques miettes, s'efforçant par tous les moyens de le faire redescendre. Elle paraissait absolument inconsciente du danger qu'elle courait.

Mon premier réflexe fut de l'appeler en criant, de la prévenir, mais quelque chose en moi me dit que la surprendre à cet instant serait la pire des choses à faire. Je préférai donc sortir par la fenêtre, en la refermant derrière moi pour que Kaspar ne puisse pas me suivre, et grimper le long de la gouttière en essayant de ne pas regarder au-delà de la corniche, en bas dans la rue, huit étages en dessous.

Lizbeth avait presque atteint le faîte du toit au-dessus de moi, mais à présent, le pigeon s'éloignait en boitillant le long de l'arête de la toiture, vers la cheminée. Je grimpai derrière elle. J'attendis d'être juste en dessous d'elle pour me risquer à l'appeler, et le plus doucement possible.

— Lizbeth, murmurai-je. C'est moi. Johnny. Je suis juste en dessous de toi. Tu ne dois pas monter plus haut. Il ne faut pas.

Au début, elle ne me regarda pas. Elle poursuivit son escalade.

— C'est le pigeon, répondit-elle. Il est horriblement blessé. On dirait qu'il s'est cassé une patte, ou quelque chose comme ça.

À ce moment-là, elle regarda en bas. Elle se rendit alors soudain compte de la hauteur à laquelle elle se trouvait. Toute son audace s'évanouit en un instant. Elle glissa, puis resta accrochée là, pétrifiée de terreur. Le sommet du toit n'était plus très loin au-dessus d'elle, mais je voyais qu'elle n'était pas capable de s'y hisser toute seule, plus maintenant, et qu'elle n'avait aucun moyen de descendre non plus.

— Reste là où tu es, Lizbeth, lui lançai-je. Ne bouge pas, j'arrive.

Je ne voyais plus qu'une chose à faire : l'aider à monter jusqu'au faîte du toit. Nous resterions assis là jusqu'à ce qu'on nous voie et que les secours arrivent. Mais entre elle et moi, il y avait une toiture abrupte, en tuiles, des kilomètres et des kilomètres de tuiles, me semblait-il, sans aucune prise ni pour les pieds, ni pour les mains.

Il suffisait d'un faux pas, d'une tuile branlante, et je glisserais, je dévalerais tout en bas du toit et passerais probablement par-dessus la corniche.

Je n'osais pas y penser. J'essayai donc de ne pas le faire. C'est pourquoi je lui parlai pendant le temps où je montai. Je ne m'efforçais pas seulement de calmer ses craintes, je tentais désespérément d'étouffer les miennes.

– Tiens bon, Lizbeth. Regarde le pigeon, tout en haut. Quoi que tu fasses, ne regarde pas en bas. J'arrive. Je serai bientôt là. C'est promis.

Je grimpai aussi vite que mes jambes tremblantes me le permettaient. Je montai de côté, traversant les tuiles en diagonale comme un crabe, zigzaguant sur le toit. C'était plus long, mais c'était plus facile, moins abrupt. Je me concentrai sur un seul but : parvenir au sommet, et je continuai de grimper. Plus d'une fois, je délogeai une tuile et l'entendis s'écraser dans le chéneau en dessous. Enfin, j'arrivai en haut et m'assis à califourchon sur l'arête du toit. À présent, je pouvais tendre la main vers le bas, agripper Lizbeth par le poignet et la hisser jusqu'à moi. Nous restâmes assis là, l'un en face de l'autre, sains et saufs pour le moment, mais le souffle coupé par la peur. Le pigeon était bien inconscient de tout ce qui avait été fait pour l'aider. Il redescendit en sautillant sur une patte, le long du chéneau, puis il se percha

sur la corniche, en picorant les miettes au passage.
Il s'envola joyeusement.

Quelqu'un avait dû voir le drame se dérouler, car
les pompiers arrivèrent assez vite. Les cloches de
leur camion sonnaient dans la rue en dessous, et des
hommes au casque brillant commencèrent à appa-

raître le long de la gouttière. L'un d'eux nous parlait tout le temps, nous répétant sans cesse de ne pas bouger. La vérité est que nous n'aurions pu bouger ni l'un ni l'autre, même si nous l'avions voulu. Ils placèrent des échelles devant nous et nous firent descendre, en commençant par Lizbeth.

Quand on me rentra enfin à l'intérieur par la grande fenêtre du bout du couloir, je vis qu'il était rempli de monde. Le directeur de l'hôtel était là, ainsi que Face de Momie, Mary, Luke, M. Freddie, tout le monde. Lorsque je passai parmi eux, ils se mirent tous à me donner de grandes tapes dans le dos.

Alors seulement, je me rendis compte de ce que j'avais fait. Le directeur me serra la main en la secouant longuement, et me dit que j'étais un vrai petit héros.

Face de Momie, en revanche, ne m'applaudissait pas. Elle ne souriait pas non plus. Elle savait que quelque chose clochait, mais je voyais bien qu'elle ne savait pas quoi. Je lui souris, cependant, d'un air de défi et de triomphe. Je pense que son expression à ce moment-là me fit plus plaisir que toutes les bourrades amicales et les poignées de main. Bien que cela aussi fût amusant.

On prépara un dîner de fête pour moi dans les cuisines ce soir-là, et on me fit asseoir à la place d'honneur. On chanta encore et encore *For He's a Jolly Good Fellow*.

Ce fut une sacrée soirée !

Au bout d'un moment, le directeur vint me chercher. Il m'emmenait dans la suite des Stanton, me dit-il, car la famille voulait me remercier personnellement.

Lorsqu'on me fit entrer, je les trouvai tous trois alignés dans le salon pour me remercier, Lizbeth en robe

de chambre. Tout était très cérémonieux et conven-
tionnel. Je restai debout devant eux, essayant de ne
pas croiser le regard de Lizbeth. Je savais qu'un seul
regard entre nous pourrait nous trahir.

– Jeune homme, commença M. Stanton,
Mme Stanton et moi, mais plus encore Elizabeth,
bien sûr, avons une grande dette envers vous.

Soudain je vis, à ma plus grande surprise, qu'il
avait les larmes aux yeux et la voix brisée. Je n'aurais
jamais cru qu'un homme comme lui puisse pleurer.

– Elizabeth est notre fille unique, poursuivit-il, la voix chargée d'émotion. Elle nous est très précieuse, et aujourd'hui, vous lui avez sauvé la vie. Nous ne l'oublierons pas.

Il fit un pas en avant, me serra la main et me présenta une grande enveloppe blanche.

– Aucun argent ne sera jamais suffisant, bien sûr, mais c'est simplement un geste afin de vous témoigner notre profonde reconnaissance pour ce que vous avez accompli, jeune homme, et pour votre courage extraordinaire.

Je pris l'enveloppe et l'ouvris.

À l'intérieur, il y avait cinq billets de dix livres. Je n'avais jamais vu autant d'argent de ma vie. Avant que je puisse dire merci ou quoi que ce soit d'autre, Lizbeth se plaça devant moi, et me tendit un grand morceau de papier. C'était un dessin représentant Kaspar.

– Je l'ai fait pour vous, annonça-t-elle.

Elle me parlait comme si nous ne nous connaissions quasiment pas. C'était une actrice étonnante.

– J'aime dessiner. C'est un chat. J'espère qu'il vous plaira. Je l'ai fait pour vous parce que j'aime particulièrement les chats noirs. Et de l'autre côté, regardez…

Elle retourna le papier.

– De l'autre côté, j'ai dessiné le paquebot dans lequel nous allons repartir la semaine prochaine. Il a quatre grandes cheminées, et d'après mon père, c'est le navire le plus grand, le plus rapide du monde. C'est bien ça, papa ?

— Il s'appelle le *Titanic*, ajouta Mme Stanton. Ce sera sa première traversée, vous savez. N'est-ce pas le plus beau navire que vous ayez jamais vu ?

Passager clandestin

J'aurais dû être plus attentif aux dessins de Lizbeth, les apprécier davantage au moment où elle me les donna, et après aussi, mais la vérité est que je n'avais jamais vu autant d'argent de ma vie. Assis sur mon lit, tard cette nuit-là, je n'arrêtais pas de le compter et de le recompter pour être sûr que je ne rêvais pas. Tous ceux du couloir entrèrent dans ma chambre. Ils voulaient le voir de leurs propres yeux. Mary O'Connell regarda chaque billet, en les tenant dans la lumière, je m'en souviens, pour vérifier que ce n'était pas une escroquerie.

— On ne sait jamais, avec ces gens du monde, remarqua-t-elle.

Je confiai à Mary quelque chose dont je n'avais pas parlé aux autres, à savoir que j'avais réfléchi, et que l'idée de garder cet argent commençait à me mettre mal à l'aise. Mary savait toujours ce qui était bien et ce qui était mal, elle comprenait ce genre de problèmes.

— Je ne l'ai pas fait pour de l'argent, Mary, lui dis-je. Mais parce que Lizbeth était là-haut.

— Je sais, Johnny, répondit-elle. Mais ça ne signifie pas que tu n'en as pas besoin, n'est-ce pas ? Cet argent est le ticket qui te permettra de sortir d'ici. C'est une chance bénie des dieux, voilà ce que c'est. Il y a deux ans de gages, là-dedans. Tu pourrais aller n'importe où, bon sang, faire ce que tu veux. Chacun de nous en meurt d'envie ! Tu ne veux quand même pas passer ta vie à cirer des chaussures ?

Je restai allongé les yeux ouverts presque toute la nuit, parlant de tout cela à Kaspar – il savait bien écouter. Le matin, je sentis que, malgré tout ce que m'avait dit Mary, il vaudrait mieux que je rende cet argent. Les dessins de Lizbeth étaient un remerciement, et c'était bien. Mais l'argent, je ne pouvais m'empêcher de penser que c'était une sorte de dédommagement, quelques billets de récompense à un groom. Non, je ne voulais pas être traité comme un groom, je ne voulais pas de récompense. Je rendrais l'argent. Un peu plus tard, cependant, j'avais presque changé d'avis.

Peut-être que Mary avait raison après tout. Je garderais l'argent. Pourquoi ne le ferais-je pas ?

J'étais toujours là, appuyé sur mes oreillers, Kaspar couché en rond au bout de mon lit. Je regardais le dessin de Lizbeth représentant le grand paquebot avec les quatre cheminées qui fumaient au-dessus de l'Océan et les mouettes qui volaient dans le ciel, lorsque la porte s'ouvrit brusquement.

C'était Face de Momie.

– C'est bien ce que je pensais. Je m'en doutais ! s'exclama-t-elle. D'abord cette fillette qui se trouvait là en train de miauler comme un chat, c'était déjà assez bizarre. Surtout que, le lendemain, elle était encore montée là-haut ! Et cette fois sur le toit, juste devant ta fenêtre. Étrange, non ? Drôle de coïncidence, ai-je pensé. Il faut que tu saches quelque chose, Johnny Trott, je ne crois pas aux coïncidences. Et maintenant tu joues au petit héros, hein ? Mais je ne suis pas née d'hier. Je ne suis pas idiote, Johnny Trott. Je sentais bien qu'il y avait quelque chose de louche, qu'il y avait anguille sous roche, même si, maintenant, je vois que c'était plutôt chat sous roche.

Elle entra dans la chambre, referma la porte derrière elle et se tint au-dessus de moi, me regardant avec un méchant sourire vindicatif. Kaspar avait bondi sur le rebord de la fenêtre, sifflant et gémissant furieusement.

– Eh bien, poursuivit-elle, j'ai entendu dire que tu avais reçu de l'argent, Johnny Trott, pas vrai ?

J'acquiesçai d'un hochement de tête.

– Alors voilà le marché, reprit-elle. Soit tu fais tes bagages, tu rends ton uniforme et tu es à la rue dans une heure, soit tu me remets l'argent. C'est tout simple. Donne-moi l'argent, et tu peux rester. Je te laisserai même garder ton horrible chat là-haut, au moins pendant quelque temps. Voilà. Je ne vois vraiment pas comment je pourrais être plus généreuse que ça.

Quelques instants plus tard, lorsqu'elle sortit de ma chambre en rangeant l'enveloppe dans sa poche, je lui en fus presque reconnaissant. Après tout, elle avait pris une décision pour moi.

Je restai assis sur mon lit, où Kaspar me rejoignit bientôt pour que je le caresse et que je le rassure. Je réfléchissais. Je n'étais pas plus pauvre que je ne l'avais été avant tous ces événements. Et maintenant, j'avais la parole de Face de Momie qu'elle me permettrait de garder Kaspar à l'abri, pendant quelque temps au moins.

Or c'était ce qui comptait le plus pour moi. Je n'avais pas perdu mon travail.

J'éprouvai un profond sentiment de soulagement, qui fut cependant très vite submergé par une vague de tristesse. Il ne restait plus que quelques jours avant que Lizbeth ne s'embarque pour l'Amérique.

– Elle va me manquer. Elle va nous manquer à tous les deux, Kaspar, pensai-je à haute voix. Nous ne regretterons pas l'argent – nous ne l'avons jamais vraiment possédé, n'est-ce pas ? – mais nous regretterons Mlle Lizbeth. Qu'est-ce qu'on va faire sans elle ?

Je n'aurais rien dû dire. Kaspar comprit sans doute suffisamment mes paroles, ou peut-être perçut-il simplement ma tristesse, je ne sais pas. Quoi qu'il en soit, les jours suivants il m'apparut évident qu'il ne savait que trop bien que Lizbeth allait bientôt s'en aller. Après le sauvetage très spectaculaire en haut du toit – dont le récit était paru dans tous les journaux –, Lizbeth avait un excellent prétexte pour monter me voir souvent, et même pour bavarder avec moi en bas, dans le hall. Ainsi, nous eûmes au moins la possibilité de passer de plus en plus de temps ensemble pendant les derniers jours.

Plusieurs fois, je fus tenté de lui parler du chantage que m'avait fait Face de Momie, de lui révéler qu'elle avait pris l'argent de M. Stanton, mais je pensai que cela mettrait Lizbeth dans une colère épouvantable, et que je ne pouvais pas m'attendre à ce qu'une fille de son âge garde ce genre de choses pour elle. Je n'abordai donc pas le sujet, mais je lui racontai ce que je n'avais jamais raconté à personne, ma vie à l'orphelinat d'Islington : je lui parlai de Harry, le cafard que j'avais mis dans une boîte d'allumettes et qui était comme un animal de compagnie pour moi, de M. Wellington qui était censé s'occuper de nous mais qui devait détester les enfants, car il nous faisait fouetter à la moindre occasion. Il m'avait donné des coups de fouet parce que j'avais gardé Harry, puis il l'avait confisqué et l'avait écrasé sous mes yeux, devant nous tous. C'est ce qui avait fini par me convaincre de m'enfuir – j'y avais souvent pensé avant, mais je n'avais jamais osé passer à l'acte. J'avais erré pendant des semaines dans les rues de Londres, vivant à la dure, avant de trouver un travail comme groom au *Savoy*. Bien entendu, elle voulut tout savoir sur la comtesse Kandinsky. Je lui confiai mon rêve de retrouver ma mère un jour. Je lui confiai beaucoup de mes espoirs, de mes aspirations. Et pendant tout ce temps, elle m'écoutait, les yeux grands ouverts.

La dernière semaine que je passai avec Lizbeth, les choses changèrent entre elle et moi. À partir du moment où nous étions restés assis en haut du toit en nous tenant par la main, à partager la même peur, elle n'était plus pour moi une riche petite fille venue d'Amérique, et je n'étais plus pour elle un orphelin londonien de quatorze ans. Nous étions devenus de vrais amis, les meilleurs amis qui soient. Elle avait cessé de se lancer dans de longs monologues sur elle ou sur Kaspar, comme elle le faisait au début quand je l'avais connue. Elle posait des questions, et elle voulait des réponses.

– Nous n'avons plus beaucoup de temps toi et moi, me dit-elle un matin. Tu dois donc tout me raconter, parce que je veux me souvenir de tout ce qui vous concerne, Kaspar et toi, pendant ma vie entière.

Elle m'apportait de nouveaux dessins chaque matin : de sa maison à New York, de la statue de la Liberté, de son île-maison dans le Maine, d'elle déguisée en pirate, d'elle avec Kaspar, de moi en uniforme, mais surtout de Kaspar. Kaspar en train de dormir, Kaspar assis, Kaspar en train de chasser.

Plus le jour de son départ approchait, cependant, plus nous devenions silencieux et tristes quand nous étions ensemble. Elle serrait Kaspar contre elle pendant tout le temps où elle restait avec nous dans ma chambre, et je sentais qu'elle aurait voulu étirer chaque minute pour qu'elle dure une heure, une semaine, un mois. J'aurais voulu la même chose.

Ce fut le dernier soir qu'elle me fit part pour la première fois de son idée. Elle berçait doucement Kaspar dans ses bras, sa tête enfouie dans le cou du chat, lorsqu'elle leva soudain vers moi ses yeux remplis de larmes.

– Vous pourriez venir, Johnny. Kaspar et toi, vous pourriez venir avec nous. Nous prendrions le bateau ensemble. Tu vivrais à New York. Tu adorerais cette ville. Je le sais. Et en Amérique, tu ne serais pas obligé d'être groom. En Amérique, on peut être tout ce qu'on

veut, comme dit papa. C'est la terre de la liberté. Tu pourrais être président des États-Unis. N'importe qui peut le devenir. Viens s'il te plaît, Johnny, s'il te plaît, viens !

En l'entendant parler, je sentis un espoir soudain naître en moi à l'idée d'une vie nouvelle et passionnante de l'autre côté de l'Océan, en Amérique. Mais je compris immédiatement que c'était impossible.

– Je ne peux pas, Lizbeth, dis-je. Je ne pourrais même pas payer ma traversée…

– Et l'argent ? répliqua-t-elle. Qu'est-ce que tu as fait de l'argent que mon père t'a donné ?

Je lui racontai ce qui s'était passé, comment Face de Momie m'avait fait chanter. Je n'avais pas eu l'intention de lui en parler. C'était sorti tout seul.

Lizbeth resta silencieuse un moment.

– C'est une sorcière, dit-elle enfin, et je la déteste. Puis, son visage s'éclaira. Je pourrais demander à papa, reprit-elle. Il a beaucoup d'argent. Il pourrait payer ta traversée.

– Non, répondis-je fermement. Je ne veux pas d'argent de sa part.

Elle parut vexée, dépitée, et je regrettai d'avoir parlé si brutalement.

– Tu ne veux pas venir, c'est ça ?

– Mais si ! J'en ai vraiment envie. Je ne vais pas passer ma vie à porter les bagages et à cirer les chaussures, qu'est-ce que tu crois ? Et j'adorerais faire la traversée jusqu'en Amérique dans ce grand navire que tu m'as dessiné – comment s'appelle-t-il déjà ?

– Le *Titanic*, répondit-elle, désormais en larmes. Nous partons tôt demain matin. On prendra d'abord le train avant d'embarquer, m'a dit maman. Tu pourrais nous accompagner. Tu pourrais assister à notre départ. Et tu pourrais amener Kaspar.

– Et peut-être que je pourrais voir le paquebot, aussi ? m'exclamai-je, tout en comprenant aussitôt que je me raccrochai désespérément à un semblant d'espoir. Ce n'est pas possible, Lizbeth. Face de Momie ne me laissera pas prendre un jour de congé. Je le sais. J'aimerais vraiment voir le *Titanic*. Est-ce que c'est vraiment le plus grand paquebot du monde ?

– Oui, et le plus rapide, renchérit-elle en se levant soudain et en me donnant Kaspar. Je vais en parler à papa. Tu m'as sauvé la vie, non ? Je vais lui demander, et je vais lui raconter ce qu'a fait Face de Momie, aussi.

Elle sortit de ma chambre et disparut avant que j'aie pu l'arrêter.

Le jour même, à peine quelques heures plus tard, on vit Face de Momie sortir par la porte de service, sa valise à la main, l'air sombre.

— Elle ne reviendra jamais, m'assura M. Freddie avec un grand sourire.

Mais je n'ai jamais revu mon argent non plus.

Le lendemain matin, je me retrouvai assis dans le train en compagnie de la famille Stanton, dans un compartiment de première classe, en direction de Southampton. Le directeur m'avait fait savoir qu'une requête spéciale lui avait été adressée par M. Stanton pour qu'il m'autorise à les accompagner, sa famille et lui, à Southampton, afin que je les aide à charger leurs bagages sur le paquebot. Le directeur avait ajouté qu'après ce qui s'était passé récemment, étant donné que j'avais encore amélioré la réputation déjà excellente de l'hôtel, il était content pour cette fois de me laisser y aller. Mais je serais en service, m'avait-il rappelé. Je devrais garder l'uniforme de l'hôtel *Savoy*, porter les malles, les sacs et les valises de la famille Stanton à bord, et être attentif au moindre de ses désirs jusqu'au départ. Parmi les bagages que je sortis de l'hôtel, ce jour-là, j'emportai un panier à pique-nique que Mary

O'Connell avait « emprunté » dans les réserves. À l'intérieur du panier, il y avait Kaspar. Il miaula sans arrêt dans l'ascenseur, gémit continuellement lorsque je le portai à travers le hall, puis passai devant M. Freddie qui souleva son chapeau vers lui en guise d'adieu. Il n'arrêta de se plaindre qu'une fois dans le fiacre, lorsque Lizbeth le fit sortir du panier et le berça dans ses bras. C'est alors qu'elle se mit à raconter à ses parents toute l'histoire de notre secret, qu'elle leur dit comment nous nous étions rencontrés, qu'elle leur rapporta tout ce qu'elle savait sur Kaspar et sur moi, sur la comtesse Kandinsky, sur l'orphelinat, sur Harry le cafard et M. Wellington, sur ma fuite. Un récit chassait l'autre, l'histoire de ma vie entière déferlait dans un torrent de mots qui se bousculaient dans sa bouche, dans sa précipitation à tout vouloir raconter. Elle ne reprit pratiquement pas son souffle jusqu'à ce que nous arrivions à la gare.

Kaspar resta assis sur les genoux de Lizbeth pendant le trajet en train jusqu'à Southampton. Ce fut un voyage silencieux dans l'ensemble, car Lizbeth s'endormit, et Kaspar aussi.

Je n'oublierai jamais la première fois que je vis le

Titanic. Son écrasante silhouette surplombait tous les docks. Tandis que je montais sur la passerelle en portant les malles des Stanton, Lizbeth devant moi avec Kaspar dans le panier à pique-nique, une fanfare jouait sur le quai. Il y avait des foules de gens partout, des spectateurs à terre, et des passagers tout le long des bastingages. La surexcitation, l'attente du voyage étaient visibles sur les visages. J'étais en effervescence. Je fis l'aller-retour deux ou trois fois jusqu'à la cabine des Stanton – pont C, numéro 52. Je n'ai jamais oublié ce numéro. Leur cabine était au moins aussi spacieuse que leur suite au *Savoy*, et aussi luxueuse. J'étais abasourdi par la splendeur monumentale de ce que je voyais, à l'intérieur comme à l'extérieur, et par la masse colossale du navire. C'était plus grand et plus somptueux que tout ce que j'aurais jamais pu imaginer.

Lorsque j'eus fini de transporter les malles des Stanton dans leur cabine, je sus que le moment de la séparation était venu. Lizbeth le savait elle aussi. Assise sur le canapé, elle dit une dernière fois au revoir à Kaspar, enfouissant son visage dans le cou du chat et pleurant à chaudes larmes. Son père lui prit le chat des bras aussi doucement que possible, et le remit dans le panier à pique-nique. C'est à cet instant que je me décidai. Je n'y avais pas pensé jusqu'alors.

– Lizbeth, dis-je. Je veux que tu l'emmènes avec toi en Amérique.

– Tu parles sérieusement ? s'écria-t-elle. Vraiment sérieusement ?

– Oui.

Lizbeth se tourna vers ses parents.

– Je peux, je peux, n'est-ce pas, maman ? S'il te plaît, papa ! Dites oui, s'il vous plaît !

Ils acceptèrent sans hésiter. Au contraire, ils semblaient ravis. Tous deux me serrèrent la main. Ils étaient toujours réservés, mais je sentis une réelle gentillesse en eux, et une chaleur dans leur regard que je n'avais pas vue auparavant. Je m'accroupis et caressai Kaspar dans son panier à pique-nique. Il me regarda avec beaucoup d'attention. Il comprenait ce qu'il se passait, il comprenait que nous nous disions au revoir. Lizbeth m'accompagna à la porte de la cabine. Elle me serra dans ses bras si longtemps que je crus qu'elle ne me laisserait jamais partir. La sirène du paquebot

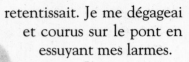

retentissait. Je me dégageai et courus sur le pont en essuyant mes larmes.

J'ai souvent repensé à tous ces événements, me demandant pourquoi j'avais donné Kaspar ainsi, sur un coup de tête, et m'interrogeant sur ce qui avait pu me pousser à agir comme je le fis juste après. Je me souviens être resté là sur le pont, au milieu des gens qui saluaient de la main, avec la sirène qui hurlait et la fanfare qui jouait, et avoir senti que je ne pourrais plus reprendre mon ancienne vie, revenir dans ma petite mansarde du *Savoy*, que je devais rester avec Kaspar et Lizbeth, que je ne voulais plus quitter le paquebot, ce magnifique paquebot, ce palace flottant absolument magique. Lorsque le dernier appel retentit pour avertir les derniers visiteurs et porteurs qu'ils devaient redescendre à terre, je restai à bord. C'était tout simple. Je courus au bastingage et me mis à saluer les gens sur les quais, comme les autres passagers. J'étais l'un d'eux. Je partais. Je partais pour l'Amérique, pour le pays de Lizbeth et de la liberté, là où je pourrais devenir tout ce que je voulais être. Ce fut seulement lorsque je vis le *Titanic* s'éloigner du quai, et l'étendue de mer augmenter entre le port et nous, que je me rendis compte de ce que j'avais fait, de la décision capitale que j'avais prise, et d'un impossible retour en arrière. J'étais passager clandestin sur le *Titanic*.

Nous avons heurté
un fichu iceberg

Ma vie de passager clandestin ne dura pas longtemps. Il me fallut un moment avant de comprendre
que j'étais en première classe. Je découvris alors qu'il
n'était vraiment pas facile de me mêler aux passagers
de première classe qui m'entouraient. Ils étaient tous
en tenue de voyage, et vêtu comme je l'étais de mon
uniforme de groom de l'hôtel *Savoy*, on me voyait
comme le nez au milieu de la figure. Même leur façon
de se mouvoir était différente, comme s'ils étaient
chez eux, comme s'ils avaient tout le temps devant

eux. Il doit falloir une vie entière pour apprendre à se comporter avec cette nonchalance qu'ont les gens aisés.

Pendant un certain temps, à vrai dire, mon uniforme m'aida. Je pouvais me faire passer pour un steward, ce qui ne m'était pas très difficile, bien sûr. Je savais très bien saluer en portant ma main à mon front, aider les vieilles dames à descendre les marches, indiquer la bonne direction – même si je n'avais pas la moindre idée de la configuration du bateau. Pendant une heure environ, j'imitai les autres passagers qui se promenaient sur le pont, partant à la découverte du navire, jusqu'à ce que je surprenne quelques regards perplexes de la part de certains membres d'équipage et des autres stewards, qui trouvaient à l'évidence mon uniforme un peu étrange. Je compris que tôt ou tard, je serais découvert, que ma chance ne durerait pas longtemps si je continuais à faire semblant d'être l'un d'eux. Je compris également que si je restais en première classe, je risquais de tomber sur un membre de la famille Stanton, or je ne savais pas du tout comment ils réagiraient s'ils découvraient que je m'étais embarqué clandestinement. Je voyais les passagers de troisième classe entassés sur le pont inférieur à l'arrière du navire. Ils me ressemblaient davantage, pensai-je, je serais plus en sécurité là-bas. Je partis donc dans leur direction. J'enlevai ma veste et ma casquette, et profitant d'un moment où personne ne regardait, je les jetai par-dessus bord.

Puis je passai de l'autre côté de la rambarde et essayai de me mêler aux passagers de l'entrepont. Nous nous éloignions des côtes à présent, les derniers contours de l'Angleterre disparaissant rapidement à l'horizon. La mer était d'un calme plat, comme un lac bleu argenté. Personne ne faisait attention à moi. Dans l'exaltation du départ, ma présence passait totalement inaperçue. Il suffisait de se servir de ses yeux et de ses

oreilles pour s'apercevoir que ces passagers de troisième classe venaient du monde entier. Ils étaient irlandais, chinois, français, allemands, américains, et on entendait même un peu d'argot londonien. Je me sentais déjà beaucoup plus à mon aise.

Je descendis sous le pont, et après avoir longuement cherché, je trouvai une couchette libre dans un dortoir tout au fond du paquebot. Plusieurs hommes se trouvaient là, mais ils ne m'accordèrent qu'un coup d'œil distrait.

J'étais allongé, les mains derrière la tête, les yeux clos, sentant les vibrations des moteurs du navire parcourir mon corps, persuadé que je m'en étais tiré, lorsque les choses tournèrent très mal. J'entendis des voix, des voix fortes, des voix autoritaires. J'ouvris les yeux et vis deux marins qui traversaient le dortoir.

– Nous cherchons un passager clandestin. Vous ne l'avez pas vu ? Il ressemble à un Japonais.

L'un d'eux s'arrêta près d'une table autour de laquelle quelques hommes assis jouaient aux cartes.

– Il n'est pas passé par là ? C'est un type plutôt petit. Nous savons qu'il est dans le coin.

Je pense que je n'aurais pas eu de problème si je n'avais pas paniqué. J'aurais pu tout simplement faire semblant de dormir. Je n'avais pas l'air japonais. Ils n'auraient pas fait attention à moi. Mais je ne réfléchis pas. Je me levai, me mis à courir, et ils me suivirent aussitôt en me criant de m'arrêter. Je montai quatre à quatre l'escalier qui menait au pont. Une fois en haut, je me cachai dans le premier endroit que je trouvai – le plus évident, bien sûr, et donc le plus stupide –, un canot de sauvetage. À l'intérieur, je vis le Japonais, assis tout au bout, les genoux remontés sous son menton, se balançant d'avant en arrière et mordillant les articulations de ses doigts. C'est là que, quelques minutes plus tard, nous fûmes tous deux découverts, comme des rats pris au piège. On nous poussa le long du pont sans ménagement, mais au moins, je sentis de la compassion de la part des passagers de troisième classe. Leurs quolibets et leurs huées semblaient s'adresser à notre escorte de marins plutôt qu'à nous. On nous conduisit tous deux devant le capitaine – le capitaine Smith, c'était son nom. Trois autres hommes se trouvaient déjà là. Nous étions donc cinq clandestins, un Italien, je m'en souviens, qui parlait très peu l'anglais, le Japonais et trois Anglais, dont moi.

Derrière son bureau, le capitaine nous regarda, l'air las, de ses yeux tristes et enfoncés dans leurs orbites. Avec sa grande barbe, son allure calme et imposante, il avait tout d'un capitaine au long cours. Il ne nous insulta pas, ne nous réprimanda pas non plus, contrairement à ce qu'avaient fait les marins.

– Eh bien, monsieur Lightoller, dit-il à l'officier qui se tenait à côté de lui. Nous en avons donc cinq, c'est bien ça ? Pas autant que je ne le craignais. Qu'allons-nous faire d'eux ? Où seront-ils les plus utiles, à votre avis ?

– Tout en bas, dans la salle des machines, capitaine, répondit l'officier. Comme chauffeurs aux chaudières. Il nous en manque au moins une douzaine. Et si vous voulez aller à toute vapeur, comme vous dites, si vous voulez faire la traversée en un temps record, comme vous dites, alors on pourrait les faire travailler en bas.

J'ai l'impression qu'ils sont un peu maigres et gringalets, mais ça, on n'y peut rien.

Le capitaine me regarda droit dans les yeux.

– Pourquoi as-tu agi ainsi ? me demanda-t-il.

Je lui avouai la vérité, en partie en tout cas. Je n'avais rien à perdre.

– Parce que je ne voulais pas quitter le navire, capitaine. Il est si beau, il va si vite aussi, d'après ce qu'on raconte. Et je n'étais jamais monté dans un bateau.

– Eh bien, pour moi, ce n'est pas une première, s'exclama le capitaine en riant. J'ai navigué des dizaines et des dizaines de fois. Mais tu as raison, ce paquebot est rapide, c'est le plus rapide que je connaisse, et en plus, il est insubmersible. Très bien, monsieur Lightoller, ces hommes paieront leur traversée jusqu'à New York en travaillant comme chauffeurs. Ce sera un travail dur, il fera très chaud près des chaudières, messieurs, c'est pourquoi vous serez nourris et assez bien traités. Emmenez-les !

Commencèrent alors les jours où je travaillai le plus dur de toute ma vie. Jamais mon corps ne m'avait fait si mal, dans chaque os, chaque muscle, chaque articulation. Jamais mes mains non plus n'avaient autant saigné, j'avais des ampoules ouvertes à chaque doigt. Jamais je n'avais eu si chaud, je n'avais été si sale, et si totalement épuisé. Les chauffeurs autour de moi étaient des hommes robustes, forts, musclés et vigoureux. Nus jusqu'à la taille comme nous l'étions, j'avais l'impression d'être un moineau parmi les aigles. Le martèlement tonitruant des machines était assourdissant, le souffle des fournaises me brûlait la peau. Pourtant, malgré ces conditions difficiles, je trouvais que c'était l'endroit le plus excitant et le plus stimulant que j'aie connu. Chaque fois que je levais les yeux, que je voyais ces immenses chaudières et les énormes pistons qu'elles actionnaient, j'étais émerveillé par leur puissance, par leur beauté. Et, croyez-le ou pas, tandis que j'enfournais du charbon heure après heure dans cette chaleur suffocante, une seule pensée me permettait de continuer : c'était *moi* qui faisais marcher ces puissants moteurs, *moi* Johnny Trott. Je n'étais plus un simple groom.

J'étais un homme parmi les hommes, et nos muscles faisaient chauffer les chaudières qui faisaient fonctionner les moteurs qui faisaient tourner les hélices qui propulsaient le navire le plus rapide que le monde ait jamais vu sur l'Atlantique. J'étais fier de mon travail.

Les autres chauffeurs me taquinaient de temps en temps, et sans ménagement, parce que j'étais un vrai bébé pour eux. Cela m'était égal. Ils taquinaient le petit Japonais aussi, jusqu'à ce qu'ils découvrent que, malgré sa taille minuscule, il enfournait plus de char-

bon que n'importe lequel d'entre nous. Il se nommait Michiya, mais nous l'appelions tous Petit Mitch – et c'est vrai qu'il n'était pas grand, encore moins que moi. Était-ce parce que nous avions été des passagers clandestins ensemble, était-ce parce que nous étions à peu près du même gabarit, il devint un vrai ami pour moi. Il ne parlait pas du tout anglais, nous communiquions donc par gestes et par sourires. Nous parvînmes à nous comprendre assez bien. Comme les autres, j'étais noir de la tête aux pieds après mes heures de travail. Mais le capitaine Smith avait tenu parole, nous étions plutôt bien traités. Nous disposions d'assez d'eau chaude pour nous laver à fond, nous avions toute la nourriture que nous pouvions manger, et une couchette au chaud pour dormir. Je ne montais pas souvent sur le pont. C'était loin au-dessus, et quand je disposais d'une heure ou deux, j'étais si fatigué que je n'arrivais quasiment plus à rien faire d'autre que dormir. Tout en bas, dans les boyaux du navire, je ne savais pas si c'était le jour ou la nuit – et ça m'était presque indifférent. Je me contentais de travailler, de dormir, de manger, de travailler, de dormir, de manger. J'étais trop fatigué, même pour rêver.

Lorsque j'arrivais à monter sur le pont, je voyais la mer éclairée par la lune, ou la mer éclairée par le soleil, toujours luisante et plate comme un étang. Je n'aperçus jamais d'autre navire, uniquement le vaste horizon. De temps en temps des oiseaux volaient au-dessus des ponts, et un jour, pour la plus grande joie et excitation de tout le monde, nous découvrîmes des dizaines de dauphins qui sautaient autour du paquebot. Je n'avais jamais rien vu d'aussi beau. Chaque fois que je montais sur le pont, cependant, j'étais attiré vers la partie du paquebot réservée aux première classe. Je restais là, près de la rambarde pendant un moment, espérant contre toute probabilité que je verrais venir Lizbeth promenant Kaspar en laisse.

Je ne les vis jamais. Je pensais à eux, pourtant, lorsque j'enfournais le charbon et que je transpirais, que je me reposais sur ma couchette pendant qu'une autre équipe prenait le relais, ou que je contemplais la mer lisse comme un miroir. J'essayais de rassembler mon courage pour repasser de l'autre côté du garde-fou, gagner le pont supérieur et retrouver mon chemin jusqu'à leur cabine. Je rêvais de voir la surprise sur le visage de Lizbeth quand elle s'apercevrait que j'étais à bord. Je savais qu'elle serait tellement contente ! Je savais que Kaspar ferait onduler sa queue et me sourirait. Mais je n'étais pas aussi sûr de la réaction des parents de Lizbeth. En fait, je pensais toujours qu'ils me jugeraient mal parce que je m'étais embarqué comme clandestin. Je décidai qu'il valait mieux attendre d'arriver à New York, qu'une fois débarqué, j'irais simplement à leur rencontre sur le quai. Je leur dirais aussitôt que j'avais suivi le conseil de Lizbeth de venir vivre en Amérique, sur la terre de la liberté. Ils ne sauraient jamais que j'avais été un passager clandestin.

J'étais à moitié assoupi, à moitié en train de rêver

sur ma couchette que Kaspar miaulait à mes oreilles, essayant de me réveiller. Nous étions plus ou moins en danger, et il s'efforçait de me prévenir. Soudain, le navire vibra fortement et fut ébranlé par une violente secousse. Je me redressai. J'eus aussitôt l'impression qu'il s'agissait d'une collision, et qu'elle avait eu lieu à tribord. Un long silence suivit. Puis j'entendis un grand jet de vapeur s'échapper dans un ronflement, comme un râle d'agonie. Je compris qu'il s'était passé quelque chose de très grave, que le navire avait été endommagé. Les moteurs s'étaient arrêtés.

Je m'habillai en un éclair et me précipitai avec une demi-douzaine de mes camarades sur le troisième pont, le pont des embarcations. Nous nous attendions tous à voir le navire avec lequel nous étions entrés en collision, car, à ce moment-là, nous étions persuadés d'avoir heurté un autre bateau.

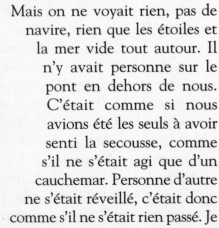

Mais on ne voyait rien, pas de navire, rien que les étoiles et la mer vide tout autour. Il n'y avait personne sur le pont en dehors de nous. C'était comme si nous avions été les seuls à avoir senti la secousse, comme s'il ne s'était agi que d'un cauchemar. Personne d'autre ne s'était réveillé, c'était donc comme s'il ne s'était rien passé. Je commençais presque à croire que j'avais tout imaginé, lorsque je vis le Petit Mitch courir le long du pont vers nous en portant quelque chose dans ses deux mains. C'était un énorme morceau de glace en forme de dent géante, déchiqueté et pointu. Il criait sans cesse la même chose, mais je ne le comprenais pas, aucun de nous ne le comprenait. Puis, l'un des chauffeurs dit :

– Un iceberg ! C'est un morceau d'iceberg ! Nous avons tout simplement heurté un fichu iceberg !

Les femmes
et les enfants d'abord

Nous n'avons jamais vu l'iceberg, ni moi, ni aucun des chauffeurs, mais nous rencontrâmes bientôt un membre de l'équipage qui avait été présent au moment où le navire l'avait heurté, et qui avait tout vu. Il déclara que l'iceberg mesurait au moins trois cents mètres de haut, qu'il se dressait au-dessus du paquebot, et n'était pas blanc comme les icebergs sont supposés être, mais sombre, presque noir. Heureusement, le navire avait été heurté de biais, dit-il, il ne fallait pas s'inquiéter, surtout ne pas paniquer. Et personne ne paniquait. Personne ne se précipitait dans n'importe quelle direction. Un nombre croissant de passagers, cependant, commençaient à se montrer sur le pont pour essayer de comprendre ce qu'il s'était passé, comme nous l'avions fait avant eux. Je vis un couple se promener nonchalamment en se tenant par le bras. L'homme et la femme paraissaient parfaitement insouciants, comme s'ils prenaient l'air. Même après la collision, comme tout le monde à bord, moi y compris, ils semblaient de toute évidence encore convaincus que le *Titanic* était insubmersible – n'avais-je pas entendu le capitaine Smith le proclamer lui-même ? – et que tout irait donc bien.

Quand le navire se mit à gîter, ce qui se produisit très rapidement, les premiers doutes apparurent. Mais ce fut seulement lorsque je vis un grand nombre d'hommes et de femmes se rassembler sur le pont et enfiler leur gilet de sauvetage, que j'entrevis réellement quel danger nous courions, et que je pensai soudain à Lizbeth, à Kaspar dans leur cabine de luxe sur le pont C. Il me fallut un moment pour trouver le bon couloir, et j'eus quelques difficultés à arriver jusqu'au numéro 52. Ce n'était pas le moment de se perdre en politesses. Je frappai à la porte. Quelques instants plus tard, M. Stanton se tenait là, devant moi, le visage gris d'inquiétude. Il était entièrement habillé, son gilet de sauvetage sur lui, de même que le reste de sa famille.

Ils me regardèrent comme si je venais d'une autre planète.

– Je suis resté à bord comme passager clandestin.

Ce fut la seule explication que je leur donnai. Je n'avais pas le temps d'en fournir davantage, et de toute façon, cela n'avait plus d'importance.

– Est-ce que nous coulons ? me demanda Mme Stanton.

Elle était très calme et parfaitement maîtresse d'elle-même.

– Je ne sais pas, répondis-je. Je ne pense pas. Mais je crois que nous devrions sortir sur le pont.

Mme Stanton prenait son sac.

– On ne peut rien emporter avec nous, ma chère, dit M. Stanton d'une voix douce mais ferme, en le lui reprenant.

– Mais c'est ce que j'ai de plus précieux, le collier de ma mère, mes photographies ! s'écria-t-elle.

– Ce qu'il y a de plus précieux, c'est Lizbeth et c'est toi, répliqua-t-il calmement.

Il se tourna vers moi, me tutoyant, à présent :

– Toi, Johnny, me dit-il, occupe-toi de Lizbeth.

La main de Lizbeth se glissa dans la mienne. Elle était froide. Elle leva

vers moi un regard désorienté. Elle semblait encore à moitié endormie. Ce ne fut qu'en sortant de la cabine qu'elle parut comprendre ce qu'il se passait. Elle agrippa soudain le bras de son père.

– Papa, qu'est-ce qu'on fait de Kaspar ? On ne peut pas le laisser là !

– Nous laissons tout ce que nous avons derrière nous, Lizbeth, et je dis bien tout.

M. Stanton lui parlait d'une voix très ferme.

– Maintenant suis-moi, et de près.

Le suivre de près n'était pas facile, car les passerelles, les couloirs étaient pleins de gens qui, pour beaucoup d'entre eux, portaient ou traînaient de lourdes valises. Lizbeth n'arrêtait pas de répéter, en s'adressant à moi, à présent :

– Et Kaspar? Qu'est-ce qui va lui arriver? On ne peut pas le laisser, Johnny, on ne peut pas. S'il te plaît! Tous ces gens qui ont des sacs, ils emportent un tas de choses! S'il te plaît!

Elle essayait sans arrêt de me tirer en arrière, mais je n'avais rien à dire qui puisse la consoler. Je devais ignorer ses supplications et continuer d'avancer.

En arrivant sur le pont des embarcations, dans l'air froid de la nuit, je m'aperçus que le navire gîtait beaucoup plus sérieusement qu'avant. Je vis des dizaines de sacs postaux empilés sur le pont, et des bagages abandonnés partout. On descendait des canaux de sauvetage, et la fanfare jouait. Les passagers s'étaient rassemblés par petits groupes, se pressant les uns contre les autres pour se protéger du

froid. Certains avaient une couverture autour des épaules. Quelques personnes priaient à haute voix, mais dans l'ensemble, les gens restaient silencieux, attendant patiemment.

Je reconnus M. Lightoller, l'officier que nous avions vu dans la cabine du capitaine. Il marchait le long du pont, organisant les secours, calmant les inquiétudes, expliquant à chacun que les femmes et les enfants descendraient les premiers dans les chaloupes, et que lorsque toutes les femmes, tous les enfants seraient en sécurité, alors les hommes pourraient quitter le navire.

Quand il se tourna vers Mme Stanton pour lui dire que c'était à elle de monter dans l'un des canots de sauvetage, elle se cramponna à son mari et refusa.

— Je ne veux pas quitter ma famille, protesta-t-elle. Nous sommes liés les uns aux autres, et si Dieu le veut, nous mourrons ensemble.

M. Stanton la prit gentiment par les épaules, et la regardant profondément dans les yeux, il lui parla tout doucement, presque dans un murmure.

— Tu vas emmener Lizbeth avec toi, ma chère, et tu obéiras à l'officier, tu iras dans la chaloupe. Johnny Trott et moi, nous vous suivrons plus tard, je te le promets. Vas-y, ma chérie, vas-y maintenant.

C'est alors que Lizbeth dégagea
sa main de la mienne et se mit à
courir. Je compris immédiatement qu'elle retournait chercher Kaspar dans la cabine. Je
la suivis aussitôt et la rattra-
pai en haut de la passerelle.
Elle se débattit, mais je la
tins fermement.

— Je ne peux pas
l'abandonner, s'écria-
t-elle. Je ne peux
pas ! Je ne le ferai
pas !

– Lizbeth, dis-je, écoute-moi. Je dois te ramener jusqu'à la chaloupe. Elle va bientôt partir. Tu dois partir avec ta mère. Tu dois sauver ta vie. Laisse-moi m'occuper de Kaspar. J'irai le chercher. Je le sauverai.

Elle leva les yeux vers moi, des yeux soudain remplis d'espoir.

– Tu me le promets ?

– Je te le promets.

– Et toi, Johnny, qu'est-ce qui va t'arriver ?

– Ça se passera bien pour moi. Il y a beaucoup de canots de sauvetage.

Lorsque nous revînmes au bastingage, le canot était presque plein, et quasiment prêt à être mis à l'eau, mais je vis que les matelots avaient du mal à le descendre.

Avec M. Stanton et un marin, nous aidâmes Lizbeth et sa mère à s'installer dans le bateau.

L'équipage, cependant, ne parvenait toujours pas à descendre la chaloupe. Un de ses membres s'efforçait de couper la corde avec son couteau en jurant entre ses dents, et il jura encore plus fort lorsqu'il fit tomber son couteau dans la mer. Il y avait déjà plusieurs canots de sauvetage à l'eau, qui s'éloignaient du *Titanic* à la rame. Je jetai un coup d'œil à la poupe et vis qu'elle était beaucoup plus haute qu'avant. Je sentais que le grand paquebot s'enfonçait dans l'Océan.

Je surpris alors le regard de Lizbeth. Elle voulait que j'y aille, et que j'y aille maintenant. Je savais que si je laissais Kaspar plus longtemps, il serait trop tard.

Je voulus aussitôt montrer à Lizbeth que j'avais bien l'intention de tenir ma promesse. Je me tournai vers M. Stanton, qui se trouvait à côté de moi.

– Je vais chercher Kaspar, dis-je. Je ne serai pas long.

Il me cria de revenir, mais j'étais déjà parti et je l'ignorai.

Les ponts étaient remplis d'hommes, à présent, que les membres d'équipage canalisaient en formant une chaîne humaine afin de les retenir jusqu'à ce que la dernière des femmes et le dernier des enfants aient gagné l'un des canots de sauvetage. Personne ne poussait, cependant, ni ne bousculait les autres. Je reconnus des dizaines de mes camarades chauffeurs, la plupart noirs de poussière de charbon, et tous étrangement calmes. Tandis que je me frayais un passage pour retourner en bas dans la cabine, l'un d'eux me cria :

– Tu devrais être dans l'une de ces chaloupes, Johnny, mon garçon. Tu n'es qu'un gamin. Tu es assez jeune. Tu as le droit !

La passerelle était pleine de passagers qui essayaient de gagner le pont, certains des plus vieux et des plus malades toujours en pyjama. L'un des marins qui les aidaient voulut m'empêcher de descendre dans les cabines.

– Tu ne peux pas y aller. L'eau arrive de partout, en bas, le navire entier est en train de couler, et il coule vite.

Je l'évitai et passai outre.

– Idiot ! me cria-t-il. Espèce d'idiot ! Si tu descends, tu ne remonteras plus !

Je continuai de courir.

Après m'être perdu dans le labyrinthe des couloirs, je trouvai enfin le bon, sur le pont C, et je compris alors que le marin avait eu raison. L'eau de mer m'arrivait à la cheville et n'arrêtait pas de monter. J'ouvris aussitôt la porte numéro 52, et je vis que les tapis étaient déjà recouverts d'eau. Je cherchai désespérément Kaspar des yeux, mais au début, je ne le vis nulle part. Ce fut Kaspar lui-même qui m'indiqua où il se trouvait, en miaulant vers moi du haut de l'armoire. Je cherchai le panier de piquenique pour le transporter, mais je ne le trouvai pas. Je tendis le bras, pris Kaspar en haut de l'armoire, et le serrai fort contre moi. En partant, j'eus la présence d'esprit d'arracher une couverture du lit le plus proche. Tout le long du couloir, je gardai Kaspar enveloppé dans la couverture, non pas pour le protéger du froid, mais pour me protéger de ses griffes, car je savais que même s'il n'était pas encore effrayé, il ne tarderait pas à l'être.

En reprenant à toute vitesse le couloir en sens inverse, je commençai à comprendre que la couverture aurait un autre usage aussi, et beaucoup plus essentiel. Si aucun bagage n'était admis dans les canots, pensai-je, il devait être hors de question d'accepter un chat. C'est pourquoi, lorsque j'arrivai de nouveau sur le pont, Kaspar était bien caché sous

la couverture. Ce fut naturellement le moment qu'il choisit pour se mettre à miauler.

– Arrête de faire des histoires, s'il te plaît, Kaspar, lui chuchotai-je. Tais-toi maintenant, et reste tranquille. Ta vie pourrait en dépendre.

Je me frayai à nouveau un chemin entre les chauffeurs, passai sous le cordon formé par l'équipage, et vis à mon grand soulagement que le canot de sauvetage était toujours suspendu là. Mais un officier me bloqua le passage et m'attrapa par l'épaule.

– Non, mon gars ! Aucun homme ne peut accéder aux chaloupes tant que toutes les femmes et les enfants n'y seront pas, dit-il. Je ne peux pas te laisser continuer. Je ne peux pas te laisser passer.

– Ce n'est pas un homme, cria quelqu'un derrière moi. C'est encore un gamin, vous ne voyez pas ?

Autour de moi, les chauffeurs se mirent soudain à lui crier de me laisser passer, et ils commencèrent à pousser furieusement le cordon de sécurité formé par les marins qui essayaient désespérément de les retenir. Je vis que l'officier était surpris par la colère soudaine de la foule, et qu'il hésitait.

Je saisis l'occasion.

– Je ne vais pas dans la chaloupe, dis-je. Je suis simplement allé chercher une couverture. C'est pour une enfant, une amie. Elle mourra de froid sans couverture.

Je pense qu'il n'aurait pas cédé si M. Stanton n'était arrivé à ce moment-là et ne s'était porté garant de moi.

– Tout va bien. C'est mon fils, dit-il à l'officier. Et la couverture est pour sa sœur.

J'étais tiré d'affaire. Avec l'aide de M. Stanton, qui me tint étroitement par la taille, je me penchai vers le canot et remis la couverture ainsi que Kaspar, miraculeusement silencieux, dans les bras que me tendait Mme Stanton.

– Faites attention, lui glissai-je, en lui jetant un regard de connivence.

Elle comprit, en le prenant dans ses bras, que Kaspar était dans la couverture. Elle le serra contre elle et se rassit dans le canot. Je vis à la façon dont Lizbeth me sourit qu'elle le savait, elle aussi.

Des fusées de détresse furent lancées dans le ciel, éclairant l'Océan tout autour de nous, et éclairant aussi les petits bateaux blancs dispersés sur la haute mer, chacun d'eux bourré de femmes et d'enfants. Je me rappelle avoir été frappé par la beauté de ce que je voyais, et m'être demandé comment quelque chose d'aussi terrible pouvait être si beau. À bord, la fanfare continuait de jouer derrière nous, tandis que la chaloupe de Lizbeth était finalement descendue et mise à l'eau. M. Stanton et moi, accoudés côte à côte au bastingage, eûmes tout le temps de la voir s'éloigner lentement à la rame.

— Tu as accompli une bonne et noble action, Johnny, me dit-il, en posant sa main sur mon épaule. Dieu les protégera, je le sais. Quant à nous, un bateau viendra bientôt nous prendre, je le sais aussi. M. Lightoller assure que les lumières d'un navire ont été aperçues à moins de cinq milles d'ici. Le *Carpathia*. Il viendra vers nous. Les marins verront nos fusées, c'est sûr. Ils arriveront dans peu de temps. En attendant, je pense que nous devrions aider les femmes et les enfants, tu ne crois pas ?

C'est ainsi que, suivant son exemple, j'occupai mon temps pendant une heure ou plus à installer les femmes et les enfants dans les canots de sauvetage.

Je m'étonne maintenant, quand j'y repense, du courage dont les gens firent preuve cette nuit-là. Je vis une dame américaine qui attendait de monter dans une chaloupe avec sa sœur aînée, lorsqu'on lui annonça qu'il n'y avait plus de place. Elle ne fit aucune objection, ne protesta d'aucune façon, et se contenta de reculer en disant :

— Ça ne fait rien. Je prendrai un bateau plus tard.

Je ne l'ai jamais revue. Je ne surpris aucun homme en train d'essayer de s'approcher des canots de sauvetage. Chacun considérait comme parfaitement juste et normal que les femmes et les enfants soient les premiers à quitter le navire. J'ai entendu dire plus tard qu'à tribord, certains avaient essayé de foncer dans l'un des canots, et qu'il avait fallu tirer des coups de feu au-dessus de leur tête pour les ramener. Mais je ne l'ai pas vu de mes propres yeux.

Il y eut de nombreux héros, cette nuit-là, cependant s'il y en a un dont je me souviens en particulier, c'est M. Lightoller. Il était partout, veillant calmement à ce que les chaloupes ne soient pas trop chargées, s'occupant de leur mise à la mer, et choisissant les marins qui devaient ramer dans chacune d'elles. J'entends encore sa voix résonner dans ma tête.

– Mettez à la mer, là-bas. Allez-y ! Y a-t-il encore des femmes ? Y a-t-il encore des femmes ?

L'un des hommes qui attendait répondit, je m'en souviens encore :

– Il n'y a plus de femmes, officier. Mais il y a beaucoup d'hommes, et je ne vois pas beaucoup de chaloupes.

C'était une chose dont chacun d'entre nous s'était rendu compte : il ne restait pratiquement plus de canots de sauvetage pour transporter ceux qui restaient, et plusieurs chaloupes ne pouvaient plus être utilisées à cause de l'inquiétante inclinaison du navire. Lorsque je vis l'eau de mer submerger la proue et se déverser sur le pont vers nous, je compris que nos chances de survie s'évanouissaient à vue d'œil. Comme bien d'autres, je scrutai désespérément l'horizon, espérant apercevoir les lumières du *Carpathia*. Nous étions tous conscients, à présent, que c'était le seul navire qui soit assez près de nous pour venir à notre secours. Mais on ne distinguait aucune lumière. Le *Titanic* sombrait rapidement, et nous savions désormais que nous coulions avec lui. À chaque minute qui passait, la gîte du paquebot à bâbord nous montrait que la fin était proche. Le pont était tellement en pente qu'il était presque impossible de tenir debout.

La voix de M. Lightoller retentit :

– Tous les passagers à tribord !

C'est donc là que je me dirigeai avec M. Stanton, glissant et dérapant, nous cramponnant l'un à l'autre, jusqu'à ce que nous arrivions au bastingage de tribord, auquel nous parvînmes à nous agripper. Là, les yeux scrutant l'Océan, nous attendîmes silencieusement notre fin. Il n'y avait plus rien à faire.

– Je voudrais te dire, murmura M. Stanton, une main posée sur mon épaule, que si je dois mourir cette nuit, et que je ne peux pas disparaître avec ma famille, alors c'est en ta compagnie que je préfère mourir plutôt

qu'avec n'importe qui d'autre. Tu es un jeune homme bien, Johnny Trott.

– Est-ce que la mer sera froide ? lui demandai-je.

– J'en ai peur, répondit-il, mais ne t'inquiète pas, c'est mieux comme ça. Ce sera fini d'autant plus vite pour tous les deux.

Bonne chance
et que Dieu vous bénisse !

Notre bénédiction à M. Stanton et moi, fut de nous trouver sur le pont des embarcations au moment où le dernier canot de sauvetage était mis à la mer. Ce n'était pas l'un des grands bateaux en bois – ils étaient tous partis à présent – mais une chaloupe avec des bords en toile et une coque arrondie, qui mesurait plus de six mètres de long.

Elle était rangée sous une cheminée, et plusieurs hommes, dont deux ou trois membres d'équipage, essayaient avec beaucoup de difficultés de la tirer sur le pont. L'un des marins nous cria :

– C'est le seul bateau qui reste, c'est notre dernière chance. Nous avons besoin d'aide, ici !

Pataugeant dans l'eau qui nous arrivait jusqu'à la taille à présent, M. Stanton, une dizaine d'autres hommes et moi, fîmes de notre mieux pour les aider à soulever le bateau pour le passer par-dessus bord. Nous savions tous que c'était notre dernier espoir. Nous eûmes beau faire tous les efforts possibles pour mettre ce bateau à la mer, il était trop lourd et trop encombrant pour nous. Nous n'étions pas assez nombreux, et nous fûmes bientôt épuisés. Nous n'y arrivions pas. Le *Titanic* gémissait, haletait tout autour de nous. Il sombrait à l'avant, et rapidement.

Alors que je levais les yeux, je vis une énorme vague déferler le long des ponts vers nous, une vague qui s'avéra finalement secourable. Elle balaya le canot de sauvetage, le faisant passer par-dessus bord, et nous avec. Le choc de la mer glaciale me coupa le souffle, me suffoqua.

Je me rappelle avoir désespérément essayé de m'éloigner du navire à la nage, puis, en regardant en arrière, avoir vu l'une des énormes cheminées se briser et tomber au-dessus de moi, basculant comme un arbre géant. Lorsqu'elle frappa l'eau, je me sentis aspiré sous elle et emporté dans un tel tourbillon que j'eus la certitude que j'allais couler avec le navire. Tout ce que je pouvais faire, c'était pincer les lèvres, garder la bouche hermétiquement close et les yeux ouverts. Soudain, je vis M. Stanton au-dessus de moi, les pieds pris dans une corde. Il se débattait, essayant de se dégager. Je sortis alors miraculeusement du tourbillon et m'aperçus que je pouvais nager vers lui. Je réussis à le débarrasser de la corde, et ensemble nous nous efforçâmes de remonter vers la surface, vers la lumière.

À quelle profondeur nous étions, je n'en ai pas la moindre idée. Je ne savais plus qu'une chose, c'était qu'il fallait nager de toutes nos forces, et sans respirer, sans ouvrir la bouche. Ce que j'ai appris cette nuit-là, c'est ce que n'importe quel homme qui se noie apprend avant de mourir : à la fin, il est obligé d'ouvrir la bouche et d'essayer de respirer. C'est ainsi qu'il meurt. Lorsque je fus enfin contraint de respirer, la mer m'envahit et m'étouffa, mais au même moment, j'émergeai à la surface, toussant, crachant l'eau de mes poumons. M. Stanton était là, près de moi, il m'appelait. Nous vîmes le canot de sauvetage retourné non loin de nous, et nous nous dirigeâmes vers lui.

Des corps flottaient dans l'eau par centaines. Le froid contractait douloureusement mes jambes, minant le peu de forces qui me restaient. Si je ne parvenais pas à atteindre le bateau, si je ne sortais pas de l'eau, et vite, je deviendrais aussi inerte que les cadavres qui m'entouraient. Je nageai avec la force du désespoir.

D'autres survivants s'agrippaient au bateau lorsque nous arrivâmes, et je ne voyais pas comment il y aurait assez de place pour nous. Mais des mains secourables nous hissèrent tous deux hors de la mer, et nous rejoignîmes les rescapés, parvenant à tenir à moitié debout, à moitié renversés en arrière contre la coque du canot, nous cramponnant l'un à l'autre pour sauver nos précieuses vies.

À ce moment seulement, je commençai à prendre réellement conscience de la tragédie que j'avais traversée. J'entendais les hurlements et les cris des gens qui se noyaient autour de moi. Je vis une dernière fois l'immense *Titanic*, la poupe presque verticale sombrer dans l'Océan. Quand il eut disparu, il ne resta plus que les débris de cette effroyable catastrophe, disséminés partout dans la mer, et ces cris terribles qui continuaient sans cesse de retentir. Des naufragés nageaient tout autour de notre embarcation, chacun d'eux, semblait-il, se dirigeant vers nous. Très vite, nous fûmes débordés, ils étaient trop nombreux, et il fallut les refouler, en criant à d'autres encore qui s'approchaient, qu'il n'y avait plus de place. Et c'était vrai, atrocement vrai. Notre bateau avait déjà du mal à se maintenir à flot. Il s'enfonçait assez profondément dans l'eau, et nous serions tous perdus si nous prenions encore quelqu'un. Ce que je n'ai jamais oublié, c'est que même dans cette situation désespérée, beaucoup des gens qui nageaient autour de nous semblaient très bien comprendre ce qu'il se passait, et l'accepter. L'un d'eux – que je reconnus comme l'un des chauffeurs avec qui j'avais travaillé – nous dit, la voix tremblant de froid :

– Très bien les gars, alors bonne chance, et que Dieu vous bénisse !

Sur ces mots, il s'éloigna à la nage entre les cadavres, les chaises, les cageots, et il disparut.

Je ne l'ai jamais revu. J'emporterai dans ma tombe le sentiment de culpabilité qui me ronge à cause de ce que nous avons fait à cet homme et à beaucoup d'autres. Comme tant de survivants, j'ai revécu dans mes rêves encore et encore cette nuit en pleine mer. M. Stanton et moi ne parlions pas beaucoup ; chacun de nous était trop absorbé par ses propres doutes, ses peurs, trop occupé à survivre. Mais nous endurions cette épreuve côte à côte, ensemble. Je sais que pour moi, ce furent les souvenirs qui m'aidèrent à tenir. Je pense avoir vu défiler dans ma tête une grande partie de ma vie, cette nuit-là : Harry le cafard dans sa boîte d'allumettes, la comtesse Kandinsky traversant majestueusement le *Savoy* sous son chapeau orné de plumes d'autruche, puis saluant sur scène, le soir où je l'avais accompagnée à l'Opéra, Kaspar lové sur son piano pendant qu'elle chantait, Lizbeth me souriant, ravie, tandis qu'elle lui donnait à manger du foie, Lizbeth sur le toit du *Savoy*, Lizbeth et sa mère dans le canot de sauvetage avec Kaspar caché dans la couverture.

Autour de nous l'Océan était silencieux et vide,

à présent. Il n'y avait plus d'appels au secours, plus de derniers messages à une mère, plus d'invocations à Dieu. Nous cherchions inlassablement du regard les lumières d'un navire à l'horizon qui nous donne quelque espoir d'être sauvés. Notre canot de sauvetage s'était éloigné des autres, et de tous les débris qui jonchaient l'Océan. Nous étions complètement seuls, complètement désespérés.

De temps en temps, l'un de nous – nous devions être une trentaine, je pense – récitait le Notre-Père, mais dans l'ensemble, nous restions silencieux.

La peur qui grandissait en nous tous, à mesure que la nuit s'écoulait, venait de la mer elle-même. Lorsque le paquebot avait sombré, l'Océan était parfaitement calme, comme il l'avait été depuis que nous avions quitté Southampton. Mais à présent, la houle se levait, et nous savions que si les vagues se renforçaient, notre fragile radeau coulerait. Dormir représentait également un danger. Déjà l'un des passagers les plus âgés s'était assoupi et avait glissé dans la mer. Le voyant disparaître, j'avais immédiatement compris qu'il pouvait facilement m'arriver la même chose. Je n'avais pas peur de mourir, plus maintenant. Je voulais seulement en finir. Je fus souvent envahi par une envie irrésistible de ne plus lutter contre le sommeil, et je me serais laissé aller si M. Stanton ne m'avait secoué à chaque fois pour que je reprenne mes esprits.

Ce fut également M. Stanton qui aperçut le premier les lumières du *Carpathia*. Sa voix cassée nous

cria la nouvelle. Au début, certains refusèrent d'y
croire, car le mouvement de la houle qui faisait monter puis baisser le bateau, nous cachait les lumières
par intermittence. Mais elles apparurent bientôt
sans aucun doute possible. Une joie immense nous
submergea, nous redonnant de la force et une nouvelle détermination. Personne ne poussa d'acclama-
tions, bien sûr, mais lorsque nous nous regardâmes
les uns les autres, nous parvînmes à ébaucher un sourire. Nous savions que nous avions une chance de
survivre. Ces lumières d'espoir, ces lumières de vie,
car c'est ce qu'elles étaient pour nous, chassèrent

l'obscurité de notre désespoir, et atténuèrent la morsure du froid, aussi. Le bras de M. Stanton entoura mon épaule. Je compris qu'il devait espérer, comme moi, que sa femme, sa fille et Kaspar étaient sains et saufs à bord du *Carpathia*.

Nous ne le savions pas encore à ce moment-là, mais nous devions être les derniers survivants recueillis par le *Carpathia*. Je montai à l'échelle de corde devant M. Stanton. Mes jambes étaient si faibles que je me demandai à plusieurs reprises si j'arriverais en haut. Je voyais mes mains agripper l'échelle, mais je ne les sentais pas. Ce n'était pas ma force qui me permettait de monter à cette échelle, ce n'était plus que la volonté de vivre. Ensuite, on nous emmena au chaud, M. Stanton, les autres occupants de notre canot de sauvetage et moi. On nous donna des vêtements secs et on nous enveloppa dans des couvertures. Nous nous retrouvâmes assis là, en train de boire du thé brûlant, sucré. C'est ma boisson préférée depuis ce jour-là.

À bord, c'était le chaos. Ce n'était la faute de personne. L'équipage du *Carpathia* faisait de son mieux, mais il était débordé et se débrouillait comme il pouvait. Nous avions beau demander partout, personne ne semblait avoir de nouvelles sûres de personne. On nous dit qu'on était en train de dresser une liste des survivants.

M. Stanton interrogea plusieurs fois les marins pour savoir s'ils avaient vu sa famille, mais aucun d'eux ne les reconnut à la description qu'il en donna. Chacun, sur ce navire, cherchait quelqu'un. Beaucoup de gens restaient assis en silence, sachant déjà que le pire était arrivé, perdus dans leur chagrin. De temps en temps, mais rarement, des gens avaient le bonheur de se retrouver. Remplis de crainte et d'espoir, nous cherchions Lizbeth, Mme Stanton et Kaspar, fouillant le navire de la proue à la poupe. Impossible de les trouver, ils n'étaient nulle part. Ce que nous

trouvions, en revanche, c'étaient des cadavres couchés sur le pont, enveloppés dans des couvertures. Nous vérifiâmes là aussi que ce n'étaient pas elles. Je tombai sur une petite fille, à peu près du même âge que Lizbeth, et au premier abord je crus que c'était elle, mais je me trompais.

Nous avions regardé dans tous les endroits possibles, posant inlassablement la même question. Le dernier espoir qui subsistait était qu'elles puissent être encore en mer, dans leur canot de sauvetage. Je suivis donc M. Stanton jusqu'au bastingage. Mais tous les canots qui flottaient autour du navire étaient déjà vides. Il ne nous restait plus qu'à fouiller l'océan du regard, à scruter l'horizon. Il n'y avait rien. À cet instant, alors que nous étions en proie au plus profond désespoir, nous entendîmes un miaulement derrière nous. Ils étaient là, tous les trois, emmitouflés dans des couvertures d'où seul leur visage dépassait.

Ce furent d'étranges et merveilleuses retrouvailles. Nous restâmes là sur le pont pendant de longues minutes, nous étreignant les uns les autres. Je sentis alors pour la première fois que j'étais devenu l'un d'eux, d'une certaine manière, que je faisais partie de la famille.

Entassés dans une cabine avec d'autres survivants, chacun de nous s'endormit, puis raconta ce qui lui était arrivé, et s'endormit à nouveau. Lizbeth et sa mère devaient leur vie, nous dirent-elles, à un petit Japonais qui ne parlait pas un mot d'anglais, et à une courageuse Française qui, parlant heureusement à la fois japonais et anglais, pouvait traduire. Par son intermédiaire, le Japonais fit comprendre à tout le monde qu'il fallait l'imiter, c'est-à-dire ramer. S'ils ramaient, ils auraient chaud, expliqua-t-il, et le fait d'avoir chaud pourrait leur sauver la vie. C'est donc ce que firent les naufragés, chacun leur tour pendant toute la nuit. Même Lizbeth rama. Elle s'assit sur les genoux de la femme française, et prit les avirons. Grâce à l'exemple de cet homme merveilleux, raconta Mme Stanton, aucun d'eux n'était mort de froid dans le canot. Son exemple, son entrain leur avait soutenu le moral tout au long de la nuit la plus froide, la plus longue de leur vie, et lorsqu'ils atteignirent le *Carpathia*, il fut le dernier à quitter le canot de sauvetage.

Elle n'avait pas fini de parler que je savais déjà qu'il s'agissait du Petit Mitch. J'allai aussitôt le chercher, et au bout d'un certain temps, je l'aperçus tout seul, en train de regarder la mer vide par-dessus le bastingage. Nous nous retrouvâmes comme de vieux amis, ce que nous étions devenus, bien sûr, après tout ce que nous avions vécu. J'étais sur le pont avec le Petit Mitch quelques jours plus tard, quand le *Carpathia* entra lentement dans le port de New York. C'est alors que nous vîmes pour la première fois la statue de la Liberté. Il se tourna vers moi, avec un grand sourire, et ne dit qu'un seul mot :

– Amérique !

Une nouvelle vie

C'est ainsi que nous sommes arrivés en Amérique, Kaspar et moi, comme passagers clandestins, comme survivants du *Titanic*. Après avoir accosté dans le port de New York, nous sommes descendus du bateau par la passerelle du *Carpathia* et avons débarqué ensemble, la famille Stanton, Kaspar et moi. M. Stanton a eu une « petite conversation », selon son expression, avec les autorités chargées de l'immigration, à la suite de laquelle je fus autorisé à aller habiter chez eux à Greenwich Village. Dès le début, je fus traité comme un membre de la famille. Ils me demandèrent de ne plus jamais les appeler M. et Mme Stanton, plus de

« monsieur », plus de « madame ». Dorénavant, je les appellerais Robert et Ann. Au début, ce fut très difficile pour moi – les vieilles habitudes sont dures à mourir – mais au fil des semaines, cela me devint de plus en plus naturel.

Peu de temps après, cependant, Lizbeth tomba gravement malade. Le froid terrible de cette nuit en pleine mer avait touché ses poumons, et elle avait attrapé une pneumonie. Le médecin vint souvent au début, c'était un homme taciturne qui ne fit pas grand-chose pour apaiser notre anxiété. Kaspar resta avec elle pendant toute sa maladie, ne quittant que très rarement le lit de Lizbeth. Quant à nous trois, nous nous relayions sans relâche à son chevet.

Puis un matin, en entrant dans sa chambre, je la vis assise sur son lit, Kaspar contre elle. Elle me souriait. Elle était de nouveau radieuse.

Pendant quelque temps encore, elle dut rester dans sa chambre et se reposer, mais qu'est-ce que ça pouvait lui faire, de toute façon ?

Lizbeth prétendit que c'était *forcément* Kaspar qui nous avait porté bonheur. Grâce à Kaspar, disait-elle, elles avaient survécu cette nuit-là dans le canot, et grâce à lui, elle avait guéri de sa pneumonie. J'eus une grande discussion avec elle à ce sujet. Autant j'aimais Kaspar, autant je n'avais jamais beaucoup cru aux superstitions. On pouvait aussi bien dire, lui répliquai-je, que c'était Kaspar qui nous avait porté malheur, le pire des malheurs, que c'était peut-être parce que Kaspar était à bord que le *Titanic* avait sombré.

– C'est absurde, protesta Lizbeth. C'est un iceberg, et pas Kaspar, qui a fait couler le *Titanic* !

Je découvris alors, même si je m'en doutais depuis un moment, que je ne pourrais jamais avoir raison en discutant avec Lizbeth, que, d'une façon ou d'une autre, elle aurait toujours le dernier mot.

Pendant la convalescence de Lizbeth, qui n'avait toujours pas le droit de sortir, j'appris à beaucoup mieux connaître Robert et Ann. Je mis un certain temps avant de me sentir complètement à l'aise avec eux quand nous étions seuls, et je pense qu'ils le sentaient. Ils décidèrent alors de me faire plaisir, de me montrer New York. Ils m'emmenèrent en haut de l'Empire State Building, puis voir la statue de la Liberté, puis visiter le zoo – tout cela rendait Lizbeth très jalouse – et une fois même ramasser des carapaces de limule sur une plage de Long Island. Mieux que tout, j'appris à monter à cheval avec Ann à Central Park. Elle me donna des leçons presque tous les jours. Je n'étais jamais monté à cheval avant, et j'eus beaucoup de mal à apprendre, mais Ann était très encourageante.

— Tu montes si bien, Johnny, s'exclama-t-elle un jour, qu'on dirait que tu es né en selle. Je suis très fière de toi.

La vérité est que j'aimais être avec eux, quoi que nous fassions. J'avais l'impression d'être un fils pour la première fois. Avoir un père et une mère à moi, c'était mieux que tout ce que j'aurais pu imaginer. Je vivais la meilleure période de ma vie.

Le soir, je montais dans la chambre de Lizbeth. Lorsque Kaspar était éveillé, je m'amusais avec lui, et lorsqu'il ne l'était pas, j'apprenais à jouer aux échecs avec Lizbeth. J'aimais les échecs, mais je n'ai jamais réussi à gagner une seule partie contre elle. Quant à Kaspar, il se sentait à l'aise partout dans la maison, comme je l'étais moi-même, et très vite, il avait occupé le piano du salon, se l'appropriant. Tout le monde dans la maison, la gouvernante de Lizbeth, les domestiques aussi, l'adoraient tout simplement. Comme moi, il ne pouvait être plus heureux. Le seul nuage à l'horizon était que je savais bien que tôt ou tard cette période dorée finirait, et que je devrais partir. Comme je redoutais ce moment !

Un soir, quelques mois plus tard, on m'appela dans le salon, et je trouvai toute la famille alignée devant la cheminée. Lizbeth était en robe de chambre. Kaspar, assis sur le piano, me regardait en faisant onduler sa queue. Lizbeth me lançait des coups d'œil d'un air de conspiratrice – il était clair qu'elle savait quelque chose que j'ignorais. Sa mère et son père, de leur côté, semblaient très sérieux et rigides, un peu comme ils m'étaient apparus au premier abord, il y a longtemps, dans leur suite du *Savoy*. « Voilà, pensai-je, c'est maintenant qu'ils vont me signifier que mon séjour ici est fini, que je dois retourner à Londres reprendre mon travail de groom à l'hôtel. »

Robert s'éclaircit la gorge. Il allait faire un discours, ou quelque chose de ce genre.

Je me préparai au pire.

– Johnny, nous avons pris une décision tous les trois, commença-t-il. Tu sais avec quel plaisir nous t'avons accueilli ici. Lizbeth nous a parlé de ta situation là-bas, en Angleterre, elle nous a appris que tu n'avais pas de famille vers laquelle revenir…

Il hésita, et ce fut Ann qui poursuivit.

– Je crois que ce que nous essayons de dire, Johnny, c'est qu'après tout ce qui s'est passé, et te connaissant comme nous te connaissons à présent, avec toutes tes qualités, nous aimerions beaucoup que tu envisages de ne pas rentrer à Londres, mais de rester ici, et de vivre avec nous à New York. Nous serions vraiment fiers que tu veuilles bien habiter ici, comme quelqu'un de la famille, enfin, si ça te plaît, bien sûr. Qu'est-ce que tu en penses ?

Je me rappelle Kaspar et Lizbeth, levant tous deux les yeux vers moi, attendant que je réponde quelque chose. Il me fallut un moment, non pas pour me décider – ce fut immédiat –, mais pour revenir de ma surprise et retrouver ma voix.

– Allons, Johnny Trott, dis oui, s'il te plaît ! s'écria Lizbeth.

– O.K., répondis-je – c'était une nouvelle expression que j'avais prise à New York.

J'étais tellement bouleversé qu'il me fut impossible d'ajouter autre chose. Mais cela suffit. Chacun m'embrassa aussitôt, et nous pleurâmes tous un peu, à l'exception de Kaspar qui avait bondi sur le piano et était occupé à se lécher.

Ainsi, par la plus grande chance qui soit, je trouvai une nouvelle vie, un nouveau foyer, et un nouveau pays. On me renvoya à l'école, ce qui ne m'enchanta guère au début. Je croyais en avoir fini avec tout ça – les livres, la lecture et le reste n'avaient jamais été mon fort. Mais le soir, Robert nous lisait des histoires, et grâce à lui, j'appris à aimer les livres beaucoup plus qu'auparavant.

Peu à peu l'école me sembla beaucoup plus facile, et parfois même agréable. On se moqua pas mal de moi les premières semaines, à cause de mon accent cockney des quartiers populaires de Londres, et au commencement, je me sentis assez seul. Mais dès que quelqu'un eut fait courir le bruit que j'étais un survivant du *Titanic*, j'eus des amis à ne plus savoir qu'en faire.

Nous passions de longs étés dans le Maine à faire de la voile sur l'*Abe Lincoln*. Nous marchions dans les bois, Lizbeth et moi, nous pêchions, et où que nous allions, Kaspar venait toujours avec nous. Ce furent des jours formidables, des jours dont je me souviendrai toute ma vie.

J'étais censé m'inscrire à l'université « William and Mary », en Virginie, où Robert avait lui-même fait ses études autrefois. Je n'y suis jamais allé. En Europe, la Première Guerre mondiale faisait rage, et mon vieux pays combattait avec acharnement. Aussi, en 1917, lorsque l'Amérique envoya des troupes pour se battre en France, je partis avec elles. Et qui trouvai-je, marchant à côté de moi vers le front ? Petit Mitch. Nous reprîmes aussitôt nos relations là où elles en étaient restées plusieurs années auparavant à bord du *Carpathia*, et nous devînmes les meilleurs amis qui soient.

Pendant que j'étais au front, je recevais chaque semaine du courrier de Lizbeth, qui faisait alors ses études dans un pensionnat. J'attendais impatiemment chacune de ses lettres, car j'entendais sa voix en les lisant, je revoyais son visage à chaque mot, et cela me remontait le moral plus que je ne saurais dire, alors qu'autour de moi, en France, je ne voyais que l'horreur et la mort. Avec ses lettres, Lizbeth m'envoyait parfois de petits dessins, dont un magnifique Kaspar assis en train de me regarder, et qui semblait vouloir que je rentre à la maison. Je le gardai sur moi, dans la poche de ma tunique, avec une photographie de

Lizbeth au bord de la mer dans le Maine. Après la fin
de la guerre, elle disait toujours que c'était sûrement
le dessin de Kaspar qui m'avait permis de revenir sain
et sauf. Je ne suis pas sûr qu'elle ait eu raison sur ce
point, mais elle insista pour le faire encadrer et l'accro-

cha à la place d'honneur dans l'entrée de la maison. Lorsque personne ne regardait, parfois, je tendais la main pour le toucher. Finalement, je dois donc être un peu superstitieux. Mais il n'est pas question de l'admettre devant elle.

Juste après la guerre, Mitch vint travailler avec moi dans la maison d'édition de Robert – il était devenu un véritable ami de la famille. Nous travaillions ensemble au service des emballages au sous-sol – Robert disait qu'il fallait apprendre le travail en commençant par l'échelon le plus bas pour s'élever peu à peu. C'est donc ce que nous faisions, littéralement. Les livres devinrent alors une partie de ma vie. Je ne me contentais pas de les empaqueter, je les lisais avec avidité, et très vite, je commençai à écrire des histoires moi-même. Lizbeth était en haut, dans son atelier, où elle dessinait, peignait ou sculptait, surtout des animaux.

Pendant nos vacances dans le Maine, nous ne grimpions plus aux arbres, nous ne plongions plus du quai, elle s'asseyait sur les rochers près du rivage avec son carnet de croquis et je griffonnais quelque chose un peu plus loin, tandis que Kaspar allait de l'un à l'autre pour nous rappeler qu'il était là. Nous parlions souvent des jours anciens à Londres, de M. Freddie, de Face de Momie, et du grand sauvetage sur le toit. Plus d'une fois, elle dit que ce serait amusant de retourner faire une visite là-bas. Mais je ne pensais pas qu'elle parlait sérieusement.

Quelques jours avant de fêter ses dix-sept ans, elle nous annonça qu'elle était trop vieille maintenant, pour qu'on lui offre des cadeaux d'anniversaire. C'était plutôt elle qui allait nous faire un cadeau, ajouta-t-elle, pourvu que nous acceptions de le donner à notre tour. Aucun de nous ne savait vraiment ce qu'elle voulait dire jusqu'à ce qu'elle nous emmène dans l'entrée. Là, posée sur la table, sous le fameux dessin qu'elle m'avait envoyé en France pendant la guerre, se tenait une magnifique sculpture de Kaspar, le cou arrondi, la queue enroulée autour de lui.

— Je l'ai sculptée dans du frêne, puis je l'ai peinte en noir, un noir de jais, dit-elle. Et vous savez ce que je veux ? Je veux l'emporter à Londres, et la donner à l'hôtel où nous avons séjourné, là où j'ai vu Kaspar et Johnny pour la première fois. Je veux qu'elle y reste pour toujours. C'est au *Savoy* que Kaspar a sa place. Et il pourrait venir aussi. Il est peut-être vieux, mais il est en pleine forme. Alors ? demanda-t-elle en nous regardant d'un air rayonnant. Quand partons-nous ?

Nous partîmes six mois plus tard, et le Petit Mitch nous accompagna. Nous voulions qu'il vienne pour lui montrer où tout cela s'était passé, où toute l'histoire avait commencé, une histoire dont il faisait partie et qui avait changé nos vies à tout jamais. Je ne prétendrai pas que quiconque d'entre nous ait pris beaucoup de plaisir à la traversée de l'Atlantique. Il y avait beaucoup trop de souvenirs terribles, mais nous les gardions pour nous, et jamais une seule fois le nom du *Titanic* ne fut mentionné.

En fait, nous avions très peu parlé du *Titanic* au cours de ces années. C'était un lien qui nous rendait inséparables et qui établissait une distance avec les autres, ceux qui n'y étaient pas, mais nous évoquions rarement le sujet entre nous. Tous ensemble de nouveau sur le vaste Océan, nous affrontions nos peurs et trouvions notre propre force dans le silence de chacun.

M. Freddie était à l'entrée du *Savoy* pour nous accueillir, et en pénétrant à l'intérieur, nous vîmes que le personnel était dans le hall pour nous saluer. Kaspar miaula dans son panier tandis qu'on nous applaudissait. Je le pris alors dans les bras pour le montrer à tout le monde. Il fut ravi d'être l'objet de l'attention générale, et pour dire la vérité, moi aussi. Mary O'Connell était toujours là, elle était devenue gouvernante générale, à la place de Face de Momie. Elle offrit un énorme bouquet de roses rouges à Ann, et pleura sur mon épaule en me serrant contre elle.

Quant au groom qui nous accompagna dans l'ascenseur, c'était un jeune gamin des bas quartiers de

Londres, tout comme moi, qui portait le même uni-forme, avec une casquette penchée sur le côté qui lui donnait un air un peu canaille. Il nous montra les anciens appartements de la comtesse Kandinsky, dont les fenêtres donnaient sur la Tamise et le Parlement. Kaspar reprit aussitôt ses bonnes habitudes, retrou-vant sa place sur le piano avant de se lécher avec vigueur. Je ne l'avais jamais vu aussi heureux.

Pendant le reste de la journée, il dormit au soleil sur le rebord de la fenêtre. Il dormait beaucoup, ces derniers temps.

Le lendemain matin, il y eut une cérémonie devant le *Bar américain* pour dévoiler la statue, et pour le plus grand plaisir de Lizbeth, chacun sem-bla aimer la sculpture autant que Kaspar lui-même. Celui-ci était présent à l'inauguration, mais il alla se promener pendant les discours. Je le regardai partir, sa queue ondulant tandis qu'il s'éloignait. Ce fut la dernière fois que je le vis. Il disparut tout simplement. On fouilla de nouveau l'hôtel de fond en comble, de la cave jusqu'au couloir sous les combles. Il n'était nulle part.

On sait bien que les vieux chats se cachent pour mourir, lorsqu'ils y sont prêts. Je pense, et Lizbeth le pense aussi, que c'est sans doute ce qu'il a fait. Nous étions tristes, bien sûr. C'était le chat qui nous avait réunis, qui avait survécu avec nous, et il était parti. Mais d'une certaine manière, comme je le dis à Liz-beth pour essayer de la consoler, il n'est pas vraiment

parti. Il est assis fièrement devant le *Bar américain*.
Vous pouvez aller le voir vous-même, si vous voulez. Il est toujours là, très content de lui, et à juste
titre. Après tout, il est le prince Kaspar Kandinsky,
prince des chats, à la fois Moscovite, Londonien,
New-Yorkais, et pour autant qu'on puisse le savoir,
le seul chat qui ait survécu au naufrage du *Titanic*.

Et puis...

... Environ un an seulement après notre visite à Londres, nous reçûmes une lettre de M. Freddie.

Chers Johnny et Lizbeth,

Je vous écris pour vous parler d'un fait étrange. Plusieurs clients de l'hôtel ont déclaré avoir vu un chat noir qui se promenait dans les couloirs tard dans la nuit. Je n'y ai pas fait attention au début, mais cela s'est reproduit plusieurs fois, et j'ai pensé qu'il fallait que vous le sachiez.

Hier tout juste, une dame qui occupait la suite de la comtesse Kandinsky a assuré avoir aperçu dans le miroir le reflet d'une grande dame coiffée d'un chapeau orné de plumes d'autruche, et qui portait un chat noir dans ses bras. Lorsqu'on lui a proposé de changer de chambre, elle a déclaré qu'elle préférait rester là, que c'étaient des fantômes bienveillants, semblables à de bons compagnons.

Mary et les autres vous envoient toute leur affection. Revenez nous voir un jour, et n'attendez pas trop longtemps.

Bien à vous, Freddie.

Postface

Je suis un détective à la recherche d'histoires. Je chasse les indices, car j'ai besoin de faits pour écrire mon histoire. Alors quels sont les faits qui se trouvent derrière l'écriture de *Kaspar* ?

Il y a un an, on m'a demandé d'être écrivain en résidence à l'hôtel *Savoy* de Londres. Il s'agissait de participer à des animations littéraires, et de résider trois mois au *Savoy*. Mon épouse Clare et moi avions un lit qui faisait à peu près la taille de l'Irlande, et le matin, nous prenions le petit déjeuner en regardant la Tamise. Chacun, dans l'hôtel, était très gentil. Nous étions traités comme des rois !

Puis un jour, dans le couloir, à côté du *Bar américain*, j'ai rencontré Kaspar, le chat du *Savoy*. Il était assis là, sur un petit meuble vitré. C'était une sculpture qui représentait un énorme chat noir très élégant, avec un air très supérieur. Je posai des questions autour de moi, à la manière d'un détective, et je découvris pourquoi il se trouvait là. Un soir, il y a presque cent ans, treize hommes s'étaient retrouvés pour un dîner de fête au

Savoy. À la suggestion qu'être treize à table pouvait porter malheur, l'un d'eux s'était esclaffé bruyamment, affirmant que c'était ridicule. Quelques semaines plus tard, il avait été tué par une arme à feu dans son bureau de Johannesburg, en Afrique du Sud. Le *Savoy* avait alors décidé de ne plus jamais autoriser treize personnes à s'asseoir autour de la même table pour y dîner. Il y aurait toujours une quatorzième chaise sur laquelle on poserait la sculpture d'un chat noir porte-bonheur exécutée spécialement à cette fin. On avait donné à ce chat le nom de Kaspar.

C'était là mon premier indice. Voici le deuxième : J'allais prendre mon petit déjeuner un matin, et tandis que je descendais l'escalier recouvert d'un tapis rouge qui menait au *River Restaurant*, je levai les yeux, et ressentis une soudaine impression de déjà-vu. Le décor et l'ambiance me rappelaient des images du restaurant du *Titanic*. Mon histoire aurait pour sujet un chat nommé Kaspar, qui vivrait au *Savoy*, et qui deviendrait le seul chat ayant survécu au naufrage du *Titanic*. Mais ce furent les gens qui vivaient et qui travaillaient au *Savoy* qui me donnèrent mon dernier indice, le plus important. Je découvris qu'ils venaient de tous les coins du globe et que leur vie était très différente de celle des clients dont ils s'occupaient. C'était certainement la même chose, pensai-je, en 1912, au temps où le *Titanic* fit naufrage.

J'avais tous les éléments de mon enquête. Un peu de rêverie pour donner de la cohérence à ces indices, et je pourrais alors commencer mon histoire, qui raconterait comment Kaspar avait été amené au *Savoy* par une célèbre diva, une cantatrice, une comtesse venue de Russie… À présent, vous connaissez le reste, à moins que vous n'ayez lu cette postface en premier – et dans ce cas je serais très fâché contre vous !

MICHAEL MORPURGO

Table des matières

Michael Morpurgo

L'auteur

Michael Morpurgo est né en 1943 à St Albans, en Angleterre. À dix-huit ans, il entre à la Sandhurst Military Academy puis abandonne l'armée, épouse Clare, fille d'Allen Lane, fondateur des Éditions Penguin, à l'âge de vingt ans, et devient professeur. En 1982, il écrit son premier livre, *Cheval de guerre*, qui lance sa carrière d'écrivain. Devenu un classique, l'ouvrage a été depuis adapté au cinéma par Steven Spielberg. Michael Morpurgo a signé plus de cent livres, couronnés de nombreux prix littéraires dont les prix français Sorcières et Tam-Tam. Depuis 1976, dans le Devon, lui et Clare ont ouvert trois fermes à des groupes scolaires de quartiers défavorisés pour leur faire découvrir la campagne. Ils y reçoivent chaque année plusieurs centaines d'enfants, et ont été décorés de l'ordre du British Empire pour leurs actions destinées à l'enfance. En 2006, Michael Morpurgo est devenu officier du même ordre pour services rendus à la littérature. Il est l'un des rares auteurs anglais à avoir été fait chevalier des Arts et des Lettres en France. Il a créé le poste de Children's Laureate, une mission honorifique dédiée à la promotion du livre pour enfants, que Quentin Blake, Jacqueline Wilson et lui-même ont déjà occupé. Michael Morpurgo défend la littérature pour la jeunesse sans relâche à travers tous les médias, mais aussi dans les écoles et les bibliothèques qu'il visite en Grande-Bretagne et dans le monde entier, dont la France, qu'il apprécie particulièrement. Père de trois enfants, il a sept petits-enfants.

Du même auteur chez Gallimard Jeunesse

FOLIO CADET
L'Histoire de la licorne, n° 479
Le Lion blanc, n° 356
Rex, le chien de ferme, n° 52
Le Secret de grand-père, n° 414
Toro! toro! n° 422

FOLIO JUNIOR
Anya, n° 1064
Cheval de guerre, n° 347
Cool! n° 1331
Enfant de la jungle, n° 1635
L'Étonnante Histoire d'Adolphus Tips, n° 1419
Jeanne d'Arc, n° 1031
Le Jour des baleines, n° 599
Le Meilleur Chien du monde, n° 1548
Le Naufrage du Zanzibar, n° 969
Le Roi Arthur, n° 871
Le Roi de la forêt des brumes, n° 777
Le Royaume de Kensuké, n° 1437
Le Trésor des O'Brien, n° 942
L'histoire d'Aman, n° 1665
Loin de la ville en flammes, n° 1653
Monsieur Personne, n° 976
Robin des Bois, n° 864
Seul sur la mer immense, n° 1607
Soldat Peaceful, n° 1558
Tempête sur Shangri-La, n° 1127

GRAND FORMAT LITTÉRATURE

Au pays de mes histoires
Cheval de guerre
Enfant de la jungle
Le Roi de la forêt des brumes
Le Royaume de Kensuké
Loin de la ville en flammes
Mauvais garçon
Seul sur la mer immense
Soldat Peaceful

BIBLIOTHÈQUE GALLIMARD

Le Roi de la forêt des brumes
Le Royaume de Kensuké

ALBUMS JUNIOR

Beowulf
Kaspar
Le Petit Âne de Venise
Le Prince amoureux
Plus jamais Mozart
Sire Gauvain et le chevalier vert

ALBUMS

La Nuit du berger
Les Fables d'Ésope

ÉCOUTEZ LIRE

Cheval de guerre
Le Roi Arthur
Le Royaume de Kensuké
Le Secret de grand-père

Michael Foreman

L'illustrateur

Michael Foreman est né en 1938 dans un village de pêcheurs du Suffolk, en Angleterre. En 1963, diplômé du St Martin College of Art de Londres, il part finir ses études aux États-Unis, où il exerce différents métiers. Sa passion pour les voyages le conduit en Afrique, au Japon, en Chine, jusqu'en Sibérie et en Arctique où il collecte idées et inspirations pour ses livres. Il est notamment l'auteur d'albums et d'un roman, *Passager clandestin*, parus chez Gallimard Jeunesse. Mais il illustre aussi bien ses propres récits que ceux d'autres auteurs, considérant cette dernière activité comme « une autre sorte de voyage, tout aussi enrichissante ». Il a mis en images plusieurs dizaines d'ouvrages, de Shakespeare à Michael Morpurgo, en passant par Roald Dahl et Rudyard Kipling. Auteur et illustrateur de renommée internationale pour la jeunesse, il a reçu plusieurs prix littéraires, et ses ouvrages sont traduits dans de nombreuses langues.

Découvre d'autres histoires
de **Michael Morpurgo**
illustrées par **Michael Foreman**

_____

dans la collection :

L'ÉTONNANTE HISTOIRE D'ADOLPHUS TIPS

n° 1419

Pendant la Seconde Guerre mondiale, le village de Slapton doit être évacué. Au moment du départ, la jeune Lily s'aperçoit que son chat, Tips, a disparu. Au péril de sa vie, elle part à sa recherche et franchit les barbelés qui entourent le village. Heureusement, Adolphus, un soldat américain, lui apporte son aide. Dès lors se noue entre eux une sincère amitié. Mais un jour, le jeune homme part au combat…

ENFANT DE LA JUNGLE

n° 1635

Will passe de belles vacances avec sa mère en Indonésie. Un jour, il réalise son rêve : une promenade à dos d'éléphant, le long de la plage. Mais c'est à ce moment que frappe le tsunami dévastateur. Oona l'éléphante s'enfuit à temps vers la forêt, sauvant la vie du garçon. Perdu au cœur de l'épaisse végétation, Will n'est pas seul au monde : l'éléphante fait de lui un enfant de la jungle…

LOIN DE LA VILLE EN FLAMMES

n° 1653

Elizabeth et Karli habitent à Dresde, en Allemagne, avec leur mère. Leur père, mobilisé, se bat toujours sur le front. La plupart des villes ont été bombardées et, bientôt, la famille doit fuir à son tour. La petite troupe a recueilli Marlène, l'éléphante du zoo, et s'enfonce courageusement dans l'hiver glacé, avec l'animal qui changera leur vie...

LE MEILLEUR CHIEN DU MONDE

n° 1548

Les chats ne sont pas les seuls à avoir plusieurs vies. Tout juste sauvé de la noyade, Copain, le lévrier, est aussitôt adopté par le jeune Patrick. Hélas ! le voici bientôt kidnappé par un cruel éleveur qui fait de lui un champion de course. Mais là ne s'arrêtent pas ses aventures : confié au vieux Joe, le chien pourrait bien devenir la mascotte d'une ville entière !

LE ROI ARTHUR

n° 871

« C'est une longue histoire, une histoire de grand amour, de grande tragédie, de magie et de mystère, de triomphe et de désastre.

C'est mon histoire. Mais c'est l'histoire surtout de la Table ronde, où, autrefois, siégeait une assemblée de chevaliers, les hommes les meilleurs et les plus valeureux que le monde ait jamais connus. Je commencerai par le commencement, quand j'étais encore un enfant à peine plus âgé que tu ne l'es aujourd'hui. »

ISBN : 978-2-07-065904-3
N° d'édition : 263042
Loi n° 49-956 du 16 juillet 1949 sur les publications destinées à la jeunesse
1er dépôt légal : septembre 2009
Dépôt légal : mars 2014
Imprimé en Espagne par Novoprint (Espagne)